Carbon Fiber

탄소섬유관련 산업분석보고서

2023개정판

저자 비피기술거래 비피제이기술거래

<제목 차례>

01 서론

1. 서론

지구온난화의 주범인 온실가스(Green Gas) 배출량을 줄이기 위해 1997년 12월 교토의정서 "기후변동조약 제3회 조약국회의(COP3)"를 채택한 이후, 생산 및 제조, 운송등에서 발생되는 이산화탄소를 절감하기위한 노력이 이루어지고 있다.

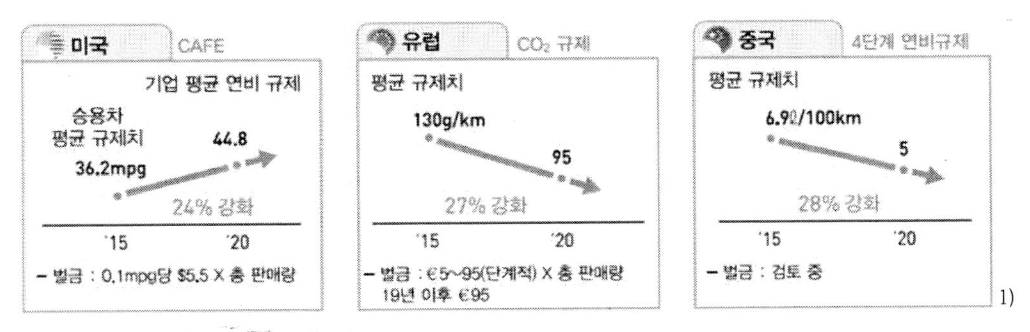

[1]

[그림 1] 해외 환경규제 정책 동향

특히 운송기기등에서 발생되는 이산화탄소 절감과 연료효율을 위해 무게절감을 위한 경량소재의 적용이 기하급수적으로 증가하고 있는데, 그 중 탄소섬유복합재(CFRP)는 중요한 소재부품으로 자동차, 항공기, 재생에너지, 고압용기등에 적용 각광받고 있으며, 점점 더 많은 수의 기존 소재를 대체하고 있다.

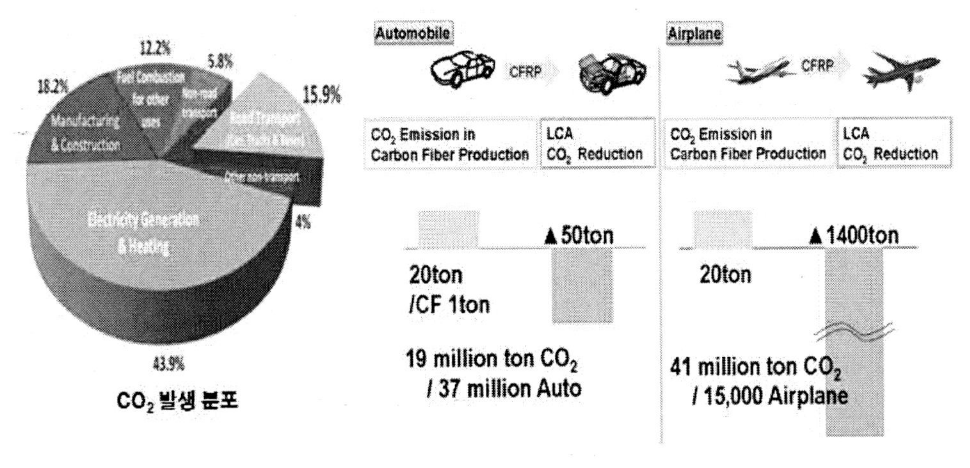

[그림 2] 운송기기 이산화탄소 배출량 및 CFRP 적용에 따른 이산화탄소 절감

1) CAFE(The Corporate Average Fuel Economy), Weight Reduction Activity for Vehicle(2015)

02 탄소섬유

2. 탄소섬유

가. 탄소섬유 정의[2)]

탄소재료란 탄소 육각면체가 적층체 결정자로 이루어져 있는 다결정체를 말한다. 탄소재료에서 구조란 적층의 방향과 완전성에 관여하여 결정자의 크기가 정해지는 것을 의미한다. 일반적인 탄소재료에서 탄소원자는 sp, sp2, sp3의 혼성궤도로 결합상태를 이루고 있다.

결정은 흑연과 같은 구조이며 면과 면 사이에는 van der Waals의 물리적 약한 힘이 작용한다. 한 면상에서의 탄소원자들 사이에는 강한 2차원적 화학적인 공유결합을 형성 하며 sp3 구조의 다이아몬드에서는 3차원적 공유결합을 형성한다. 따라서 적층 및 난층구조(turbostatic structure), 결정자의 방향성, 면방향 조직, 축배향 조직, 점방향 조직, 무배향 조직 등에 따라 탄소재료의 구조와 특성이 달라진다.

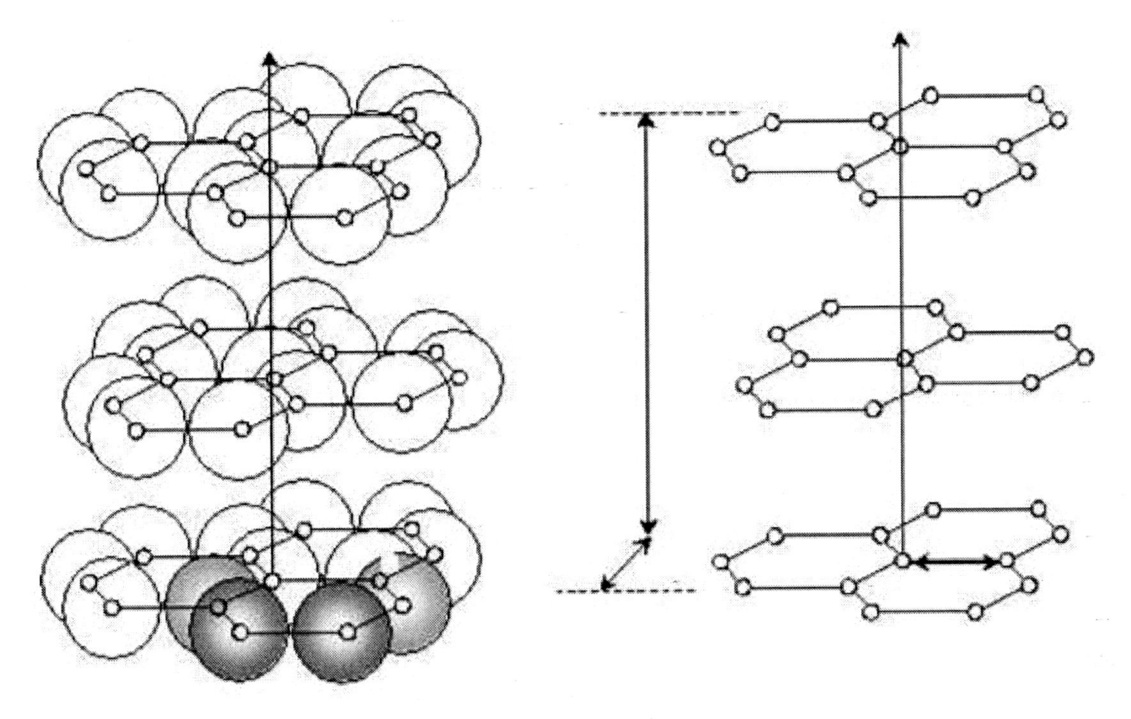

[그림 3] 육각면체 흑연 구조도

3)

탄소섬유는 거의 100% 탄소원자로 구성된 무기섬유로서 "미세한 흑연 결정구조를 가진 섬유상의 탄소물질"을 말한다. 즉, 전구체라 불리는 전 단계 섬유를 소성하여 탄소만을 남기는 방식으로 공업화를 하며 전구체의 종류에 따라 레이온계, Pitch계, PAN계로 분류하는데 PAN계가 압도적으로 많이 사용된다.

2) 탄소연속섬유 복합체 제조기술, 한국과학기술정보연구원, 2011
3) 탄소섬유 제조방법 및 응용분야, 서민강 등, 고분자과 학과 기술, 2010

탄소섬유는 1969년에 미국의 R. Bacon과 W. A. Schlamon에 의해 최초로 문헌상에서 정의되었다. 이들은 "탄소섬유는 최고 1,000~1,500℃의 온도에서 열처리한 섬유로서 전구체의 많은 잔류물을 가지고 있으나 흑연섬유는 2,500℃ 이상으로 가열한 것으로 99% 이상의 탄소 함량으로 되어 있다"고 정의하였다.

나. 탄소섬유의 분류[4)]

탄소섬유는 성능, 형태, 제조방법 및 출발원료에 따라 다양한 제품이 있다. 탄소섬유 제품도 공업규모로 생산되고 있는 것에서부터 실험실 단계의 것에 이르기까지 매우 다양하다. 또한 고성능 탄소섬유의 섬유다발 굵기는 과거에 필라멘트 수가1,000~12,000개인 스몰 토우(Small Tow, 혹은 Regular Tow)가 주류를 이루었으나 최근에는 48,000~320,000인 라지 토우(Large Tow)의 중요성이 증가하고 있다.

탄소섬유는 복합재료의 보강섬유로 발전해왔기 때문에 기계적 성질, 특히 인장강도와 인장탄성률을 이용하여 분류하는 경우가 많다. 일반적으로는 역학적 특성을 토대로 한 분류와 원료에 기초한 분류가 병용되고 있다.

1) 탄소화 온도에 의한 분류

① 방염섬유

안정화 공정은 산화 또는 공기 분위기에서 일정한 장력을 가하면서 약 300~400℃ 내외의 온도 범위에서 행해지는 열 처리과정을 의미한다. 안정화 단계에서 얻어지는 불용/불융의 열경화성 섬유를 산화 반응시켜 얻어지는 섬유를 방염섬유라고 하며 섬유의 구조를 안정화시킨다는 측면에서 안정화 PAN 섬유라고도 한다.

② 탄소섬유

800~1,500℃의 온도에서 유기물질의 열분해에 의해 탄소만 으로 구성된 직경 5~15μm의 가열처리한 섬유로서 10-1~ 10-2Ω·cm의 전기 비저항을 갖는다.

③ 흑연섬유

2,000℃ 이상의 온도에서 가열처리하여 흑연화한 탄소섬유로 서 10-3~10-4Ω·cm 부근의 전기 비저항을 갖는다.

2) 탄소섬유의 원료물질에 의한 분류

탄소섬유의 원료물질, 즉 전구체의 종류에 따라 탄소섬유를 분류하면 크게 네 종류로 나눌 수 있다.

① 레이온계 탄소섬유(Rayon based carbon fibers)
② PAN계 탄소섬유(PAN based carbon fibers)
③ 피치계 탄소섬유(Pitch based carbon fibers)
- 등방성(Isotropic) 피치계 탄소섬유
- 이방성(Mesophase) 피치계 탄소섬유

④ 기상성장 탄소섬유(Gas phase grown carbon fibers or Vapour grown carbon fibers)

---

4) 탄소연속섬유 복합체 제조기술, 한국과학기술정보연구원, 2011

3) 탄소섬유의 관용적 분류

① 범용 탄소섬유(GPCFs: General Purpose Grade CFs)

인장강도 1,000MPa, 인장탄성률 100GPa 전후의 기계적 성질을 가지며 저탄성률형(LM형 : Low Modulus Type) 탄소섬유라고도 불린다. 고성능 그레이드에 비해 가격이 저렴한 장점이 있다.

② 고성능 탄소섬유(HPCFs: High Performance Grade CFs)

범용 탄소섬유와 구별하여 고강도(High Tensile, HT형), 중탄성률/고강도(IM형: Intermediate Modulus), 고탄성률(HM형: High Modulus) 탄소섬유를 포괄한다. 기계적 특성이 고성능이라는 의미로 붙여진 이름이다. HPCFs는 항공기용 탄소섬유강화플라스틱(CFRP: Carbon Fiber Reinforced Plastics)의 강화재로 많이 쓰이고 있다.

(1) 고탄성률형 탄소섬유(HM형: High Modulus Type CFs)

인장탄성률 350GPa 이상의 탄소섬유를 말한다. 고탄성률형 탄소섬유보다 탄성률이 더 높은 섬유를 초고탄성률형 탄소섬유(UHM형: Ultra High Modulus Type CFs)라고 하며 일반적으로 인장탄성률이 600GPa 이상인 탄소섬유를 말한다.

(2) 고강도형 탄소섬유(HT형: High Tensile Type CFs)

인장탄성률 220~260GPa, 인장강도 3,000MPa 이상인 탄소섬유를 말한다. HT형 탄소섬유는 PAN 전구체를 가열·탄소화하여 만든 것으로 CFRP의 강화재로 많이 쓰이고 있다. 인장강도가 6,000MPa 이상인 탄소섬유를 초고강도형 탄소섬유(UHT형; Ultra High Tensile Type CFs) 라고 부른다.

(3) 중탄성률형 탄소섬유

일반적으로 인장탄성률 300GPa, 인장강도 5,000MPa 이상인 탄소섬유를 말한다.

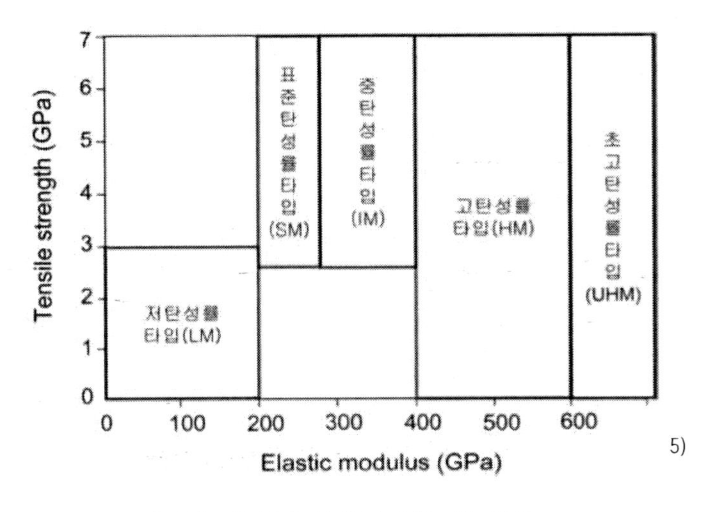

5)

[그림 4] 탄소섬유의 기능적 분류

5) 탄소섬유 제조방법 및 응용분야, 서민강 등, 고분자과 학과 기술, 2010

다. 탄소섬유의 형태

일반적으로 탄소섬유의 직경은 5 ~ 7μm이며 가공방법이나 최종제품의 모양 등의 이유로 여러 가지 형태가 요구된다.

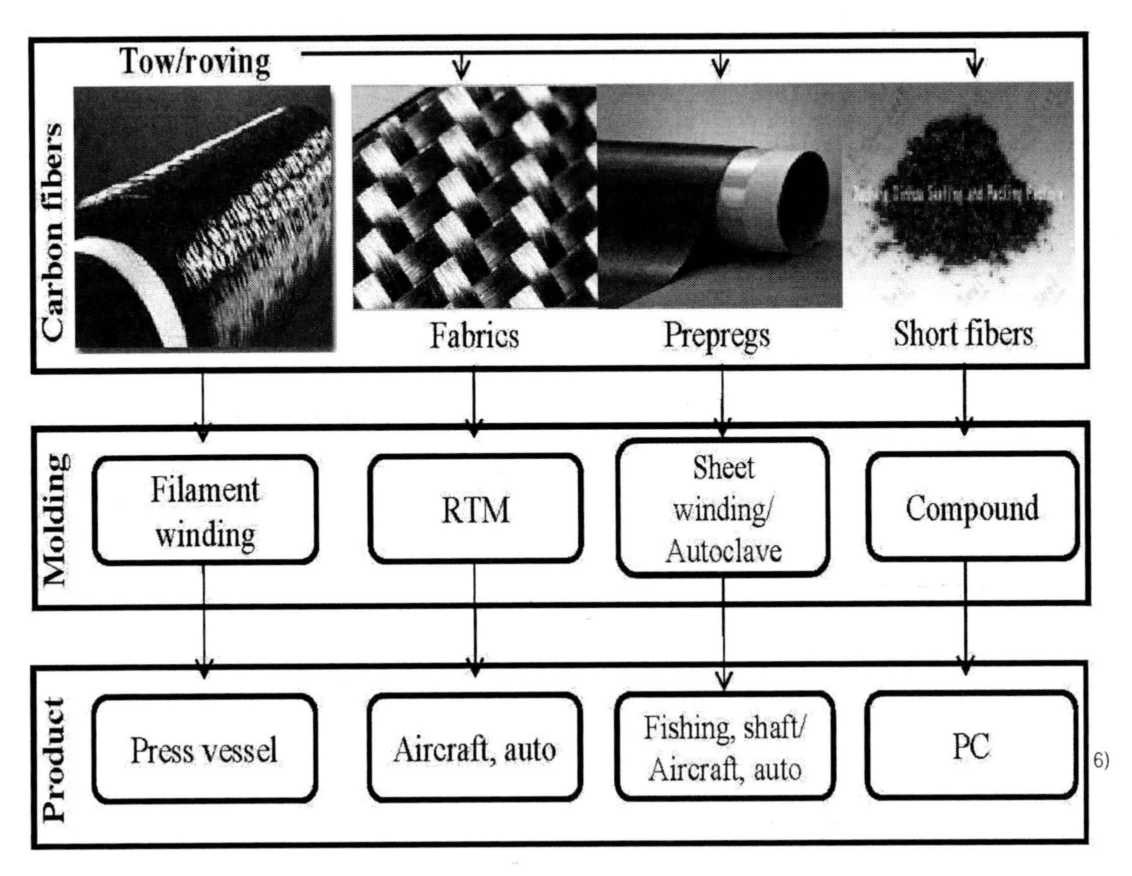

[6]

[그림 5] 탄소섬유의 제품 형태와 용도

1) 연속섬유

① 필라멘트사(Filament Yarn)

다수의 필라멘트로 구성된 실로서 꼬거나 꼬지 않은 실, 꼬았다가 푼 실 등이 있다. 특히 꼬지 않은 연속 필라멘트 다발을 토우(Tow)라고 한다.

② 스몰 토우(레귤러 토우) 및 라지 토우

탄소섬유는 처음에 필라멘트 수가 1,000~12,000인 것이 상품화되었다. 그 후에 구미에서는 탄소섬유의 비용 감소와 후 가공의 생산성 향상을 위해 필라멘트 수가 48,000~320,000로 대폭 확대된 필라멘트 다발이 생산되고 있다. 큰 필라멘트 수의 다발을 라지 토우라 하고 종래의 생산품인 필라멘트 다발을 스몰 토우(또는 레귤러 토우)라고 부른다.

---

6) 초고온 탄소복합재료, KISTI, 2009

2) 스테이플 섬유(Staple Fibers)

① 촙섬유(Chopped Fibers)

필라멘트사 또는 토우를 일정 길이로 절단한 형태의 탄소섬유를 촙섬유(또는 촙)라고 부른다. 촙섬유의 길이는 용도에 따라 다르지만 일반적으로 100 ~ 1mm 정도의 길이를 가지는 것이 표준이다.

② 분쇄섬유(Milled Fibers)

촙섬유 또는 필라멘트사를 분쇄하여 만든 분말상의 제품이다. 촙섬유보다 더 짧은 길이의 섬유가 필요할 경우에 수십에서 수백 μm의 분말상 분쇄섬유가 이용된다. 일반적으로 탄소섬유의 절단 길이는 1mm 정도가 한계이기 때문에 분쇄하여 사용하고 있다.

3) 직물류(Fabric)

① 직물(Woven Fabric, Cloth)

탄소섬유 필라멘트사 또는 스테이플사를 이용하여 만들며 보통의 섬유직물과 마찬가지로 탄소섬유로서 직물을 제조할 수 있다. 또한 사전에 만든 전구체를 소성·탄소화하여 만들 수도 있다.

② 편조물(Braid)

필라멘트사, 스테이플사를 관 모양으로 짠것이다.

③ 펠트(Felt)

촙섬유를 초지법 또는 건식법으로 가공한 부직의 무방향성 펠트와 미리 펠트화한 유기질 전구체를 소성 및 탄소화한 펠트의 두 종류가 있다. 두 종류 모두 섬유 자신이 서로 뒤엉켜서 펠트 모양을 유지하고 있고 탄소섬유 100%의 제품으로 각각 다른 외관을 가지고 있다.

④ 매트 및 종이(Mat, Paper)

펠트보다 더 얇은 것으로서 매트 및 종이가 있다. 매트는 촙섬유를 건식법으로 얇게 2차원으로 펼친 후에 유기질 바인더를 이용하여 섬유를 가볍게 접착시킨 것이며 종이와 유사한 외관을 하고 있는 제품이다. 종이는 촙섬유와 유기질 바인더를 함께 사용하여 습식법으로 만든다.

라. 탄소섬유의 특성

1) 탄소섬유의 구조

육각면체 흑연구조도를 보면 탄소원자가 육각형의 꼭지에 위치하면서 탄소 기본층(base plane)을 형성하고 이것이 c-축 방향으로 ABA의 형태로 적층되면서 육방정계의 결정계를 형성한다.

그러나 탄소섬유는 탄소층이 ABA 형태의 규칙적인 적층이 아니라 c-축 방향으로 보면 일정한 규칙성을 찾기 어려운 난층구조(turbostratic structure)를 가진다.

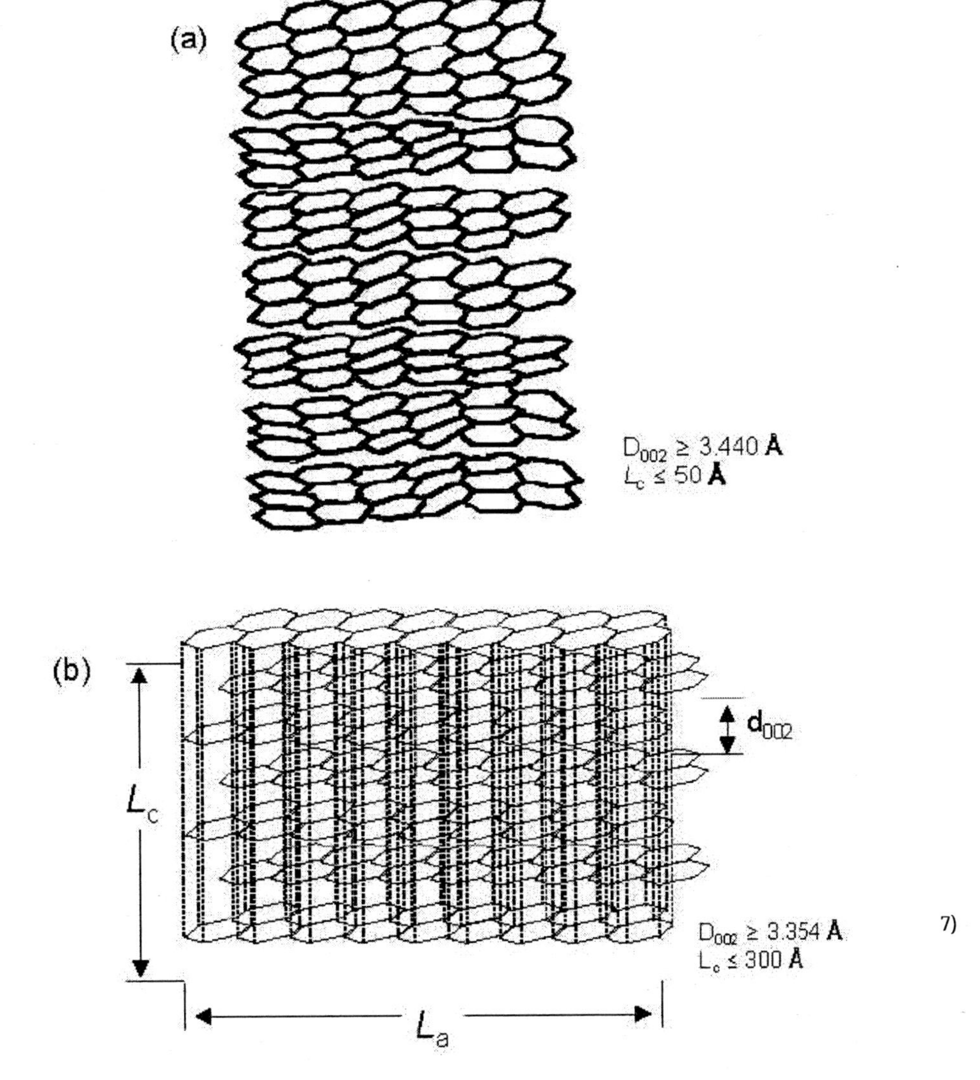

7)

[그림 6] Carbon turbostratic 구조(a) 및 3-D graphite lattice(b)

이 때문에 탄소층 사이의 거리가 흑연보다 클 수 있으나 이러한 구조의 이방성은 흑연의 역

7) J. B. Donnet, et al., Carbon Fibers, 1984

학적 성질이 그대로 반영되어 있어 탄성률이 c-축 방향보다 a-축 방향에서 약 20배 높다.

따라서 탄소섬유의 경우에도 섬유축 방향으로 평행하게 배열되면 길이 방향으로 뛰어난 역학적 성질을 보이며 고탄성률 탄소섬유의 생산공정에서는 반드시 기본층을 섬유축 방향으로 배향시키는 과정이 포함되어야 한다.

2) 탄소섬유의 화학적 조성

탄소섬유의 주성분은 탄소이며 화학적 조성은 PAN계, Pitch계, 레이온계 등 전구체의 종류, 열처리 온도 등에 따라 크게 달라진다.

PAN계 탄소섬유의 경우는 전구체의 공중합 상태, 방사 용매 등의 조건에 따라 변하게 된다. 즉, 화학적 조성은 전구체 물질의 종류와 소성조건에 따라 변화한다. PAN계 탄소섬유의 탄소함유율은 93~98%, 흑연섬유는 99% 이상이다.

탄소섬유의 제2 성분은 질소이며 4~7%가 피리미딘 고리구조로 존재한다. 질소함유율은 소성도가 높아질수록 낮으며 흑연섬유는 0.5% 이하이다.

Pitch계는 전구체 물질인 피치섬유 자체의 탄소함유율이 90% 이상이며 탄소섬유와 흑연섬유 모두 99% 이상의 탄소로 구성된다.

레이온계의 경우는 고강도, 고탄성률을 얻기 위해 2,000℃ 이상에서 연신하여 열처리하면서 흑연화하기 때문에 탄소함유율이 99% 이상이다.

① 탄소섬유의 수분

고성능 탄소섬유의 수분은 0.05% 이하이기 때문에 안정적이며 유리섬유나 아라미드섬유(aramid fibers)를 사용하는 경우보다 뛰어난 내수성을 나타낸다.

② 탄소섬유의 내약품성

일반 탄소재료와 거의 같으며 대부분의 약품에 견딜 수 있고 매우 안정적인 재료이다.

③ 기계적 특성

탄소섬유의 대표적인 특성은 가볍고 강하며 탄성률이 높은 것이다. 최근 수년 동안에 기계적 물성이 크게 향상되었으며 인장강도 약 5,600MPa, 인장탄성률 약 500GPa의 탄소섬유가 판매되고 있다. 이렇게 뛰어난 기계적 특성은 탄소섬유의 기본적인 구조인 리본상의 미세구조에 기인한다.

3) 열적 특성

탄소섬유의 열적 특성 중에서 가장 뛰어난 것은 선팽창계수 이며 -0.7~-1.2×10-6 -6K-1의 음의 값을 보이면서 온도 상승에 따라 수축한다. 섬유의 직경방향으로는 5.5×10-6 -6K-1의 값이 보고되어 있다.

탄소섬유의 비열은 약 0.7kJ/kg이며 고강도, 고탄성률 사이의 차이는 거의 없다. 금속과 비슷한 수치를 보이며 수지보다는 약간 작은 수치를 가진다.

탄소섬유의 열전도율을 직접 측정한 경우는 극히 드물며 대부분의 경우에 복합재료의 열전도율을 측정한 값으로부터 추정하고 있다. 고탄성률 탄소섬유의 경우는 85W/mK로서 금속과 비교할 수 있는 값이다.

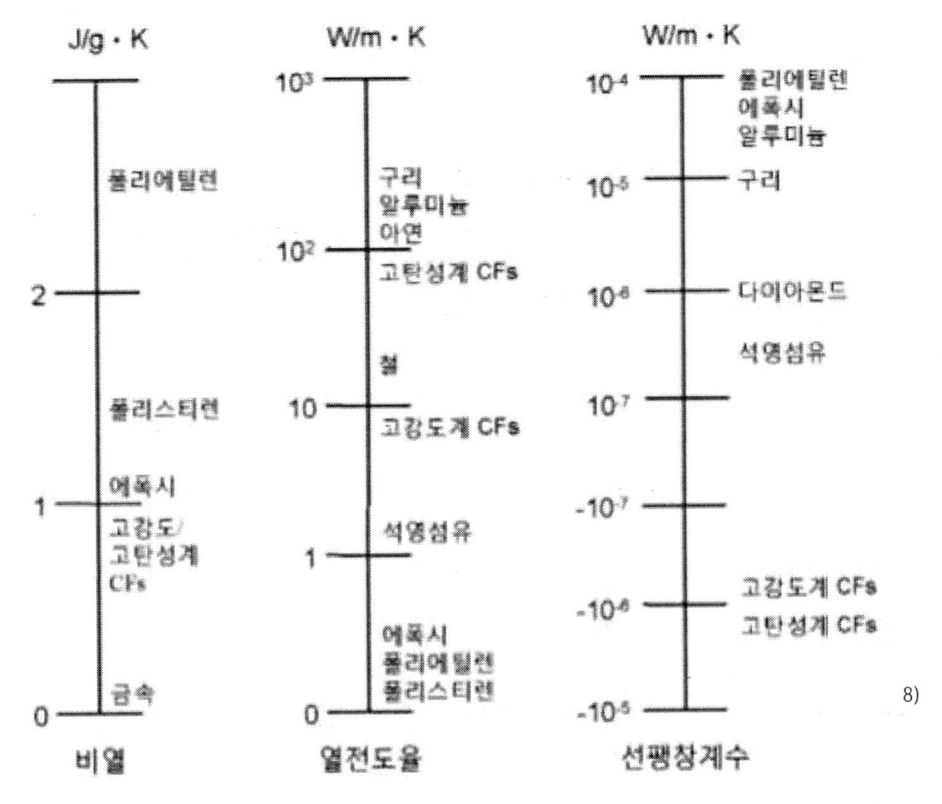

8)

[그림 7] 탄소섬유의 열적 특성

4) 전기적 특성

탄소섬유는 일반적으로 소성온도가 1,000℃ 이상일 경우에 전기전도성이 양호해진다. 전기전도도는 결정성에 의존하므로 흑연화 섬유가 탄소섬유보다 높은 전기전도율을 보이며 전자의 경우는 1.5~3.0×10-3Ωcm, 후자는 0.5~0.8×10-3Ωcm 의 전기저항 값을 보인다.

8) 탄소섬유 제조방법 및 응용분야, 서민강 등, 고분자과 학과 기술, 2010

탄소섬유의 특성을 종합적으로 요약하면 다음과 같다.

분류	특성
형태적 성질	가늘고 길며 잘 구부러진다. 다양한 형태 가공성 우수하다. 매트릭스와 조합한 섬유 보강재 제작 가능하다. 섬유축 방향과 직각 방향은 이방성을 가진다.
화학/물리적 성질	대부분 탄소원소로 구성되었다. 불연성이다. 화학적으로 안정, 산염기 용매에 강하다. 산화에 의해 열화된다. 고온의 공기, 산화성 산에 대해 약하다. 고온 하에서 금속 탄화물 형성한다. 다공성이며, 표면 활성화에 의해 흡탈착 성능을 나타낸다.
기계적 성질	밀도가 금속보다 작다. 인장 강도, 인장 탄성률이 크다. 내마모성, 윤활성이 우수하다.
열적 성질	선 팽창률 계수가 작고, 치수 안정성 우수하다. 고온 하에서도 기계적 특성이 저하되지 않는다. 극저온 영역에서의 열전도성이 작다.
전기/전자적 성질	전도성이 우수하다. 전파를 반사하며, 전파 시일성이 우수하다 X선 투과성 양호하다.

[표 1] 탄소섬유의 특성

고탄성률 탄소섬유는 Pitch와 PAN계 모두로부터 제조가 가능하지만 이들 고탄성률 섬유는 상대적으로 낮은 압축강도 및 인 장강도를 갖는다. 따라서 인장강도와 탄성률을 동시에 향상시키는 기술 개발이 요구되고 있다.

흑연의 이론적 탄성률은 1,050GPa이고 탄소-탄소 결합력을 고려한 인장강도의 최대치는 약 100GPa 정도로 추정된다. 한편, 현재까지 보고된 가장 높은 인장강도를 갖는 섬유상 탄소소재는 약 20GPa 인장강도의 그래파이트휘스커(graphite whiskers)이다. 상업적으로 생산되고 있는 PAN계 탄소섬유의 가장 큰 인장강도는 7GPa에도 미치지 못하는 것으로 알려져 있다.

마. 탄소섬유 제조기술

탄소섬유는 PAN을 가열하여 제조한다. 먼저 PAN을 175℃ 정도까지 가열하면 고리구조를 형성하며 까맣게 변하는데 이 구조는 사다리 형태의 고분자(ladder polymer)라고 볼 수 있다. 이를 더 가열하면 산화반응에 의해 방향족 고리구조를 가진 고분자 폴리퀴니자린(polyquinizarine)으로 변환하며 이 고분자를 1,000~3,000℃까지 가열하면 흑연구조를 가진 탄소섬유가 만들어진다.

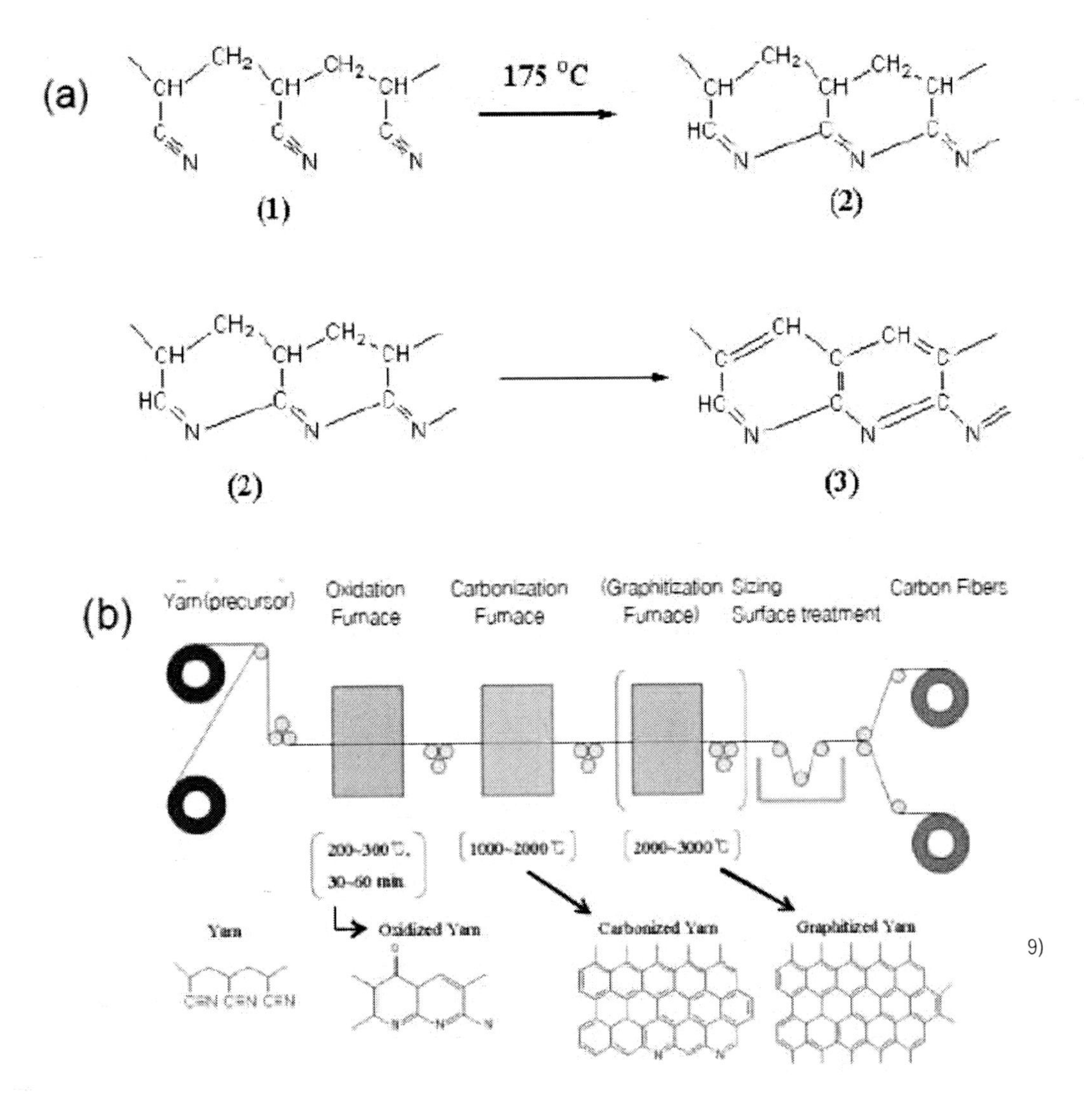

[9]

[그림 8] (a) 탄소섬유의 화학반응, (b) 탄소섬유의 제조공정 개략도

---

9) 방사선 융합기술 이용 탄소섬유 제조기술 개발, 강필현 등, 한국원자력연구원, 2010

1) PAN계 탄소섬유

PAN은 1940년대에 DuPont사가 의류용 섬유로 개발하였는데 특유의 열적 안정성으로 인해 상업적으로 중요한 고분자가 되었으며 이후 PAN 섬유 열처리에 대한 연구가 활발히 진행되면서 탄소섬유 전구체로 상용화되었다.

PAN은 90% 이상의 acrylonitrile 단량체와 methyl acrylate, methyl methacylate, methacrylic acid, vinylacetate, itaconic acid, 그리고 sodium methallyl sulphonate와 같은 다양한 공단량체와 공중합을 통해 합성되는데 분자량은 약 10,000에서 부터 수백만 g/mol까지의 폭넓은 값을 가진다.

용액방사, 겔(gel)방사 및 용융방사와 같은 다양한 섬유방사 기술들이 PAN에 적용이 가능한 것으로 알려져 있다. 또한 겔방사를 통하여 섬유 전체에 걸쳐 미세기공(micro-void)이 적은 고연신 섬유를 제조할 수 있는 것으로 알려져 있다. 용융방사의 경우는 고분자의 융점이 분해온도보다 높기 때문에 가소제와 함께 전처리를 해야 한다.

다양한 방법으로 제조된 PAN 전구체 섬유는 안정화(산화조건에서 200~300℃), 탄화(불활성 조건에서 1,700℃ 이하), 흑연화(불활성 조건에서 2,000~3,000℃) 등의 열처리 과정을 거치게 된다. 안정화 열처리 공정 중에 수축과 팽창을 조절하여 분자의 비배향성(disorientation)을 최소화하는 것은 고장력, 고탄성 탄소섬유 제조의 필수요소로 알려져 있다.

안정화 공정을 통하여 전구체 고분자는 사다리 구조의 고분자화가 이루어지며 이 구조는 고온 열처리(탄화)에 대하여 열적으로 안정하다. 안정화 다음의 불활성 조건에서의 탄화는 분자간 반응이 일어나서 사다리 고분자 사이에 가교가 이루어진다. 탄화 후의 전체적인 탄화율은 약 50~60%이다.

불활성 조건에서 흑연화(graphitization, 2,000℃ 이상)를 통해 더욱 정렬된 흑연구조가 생성되어 고탄성률의 섬유가 제조된다.

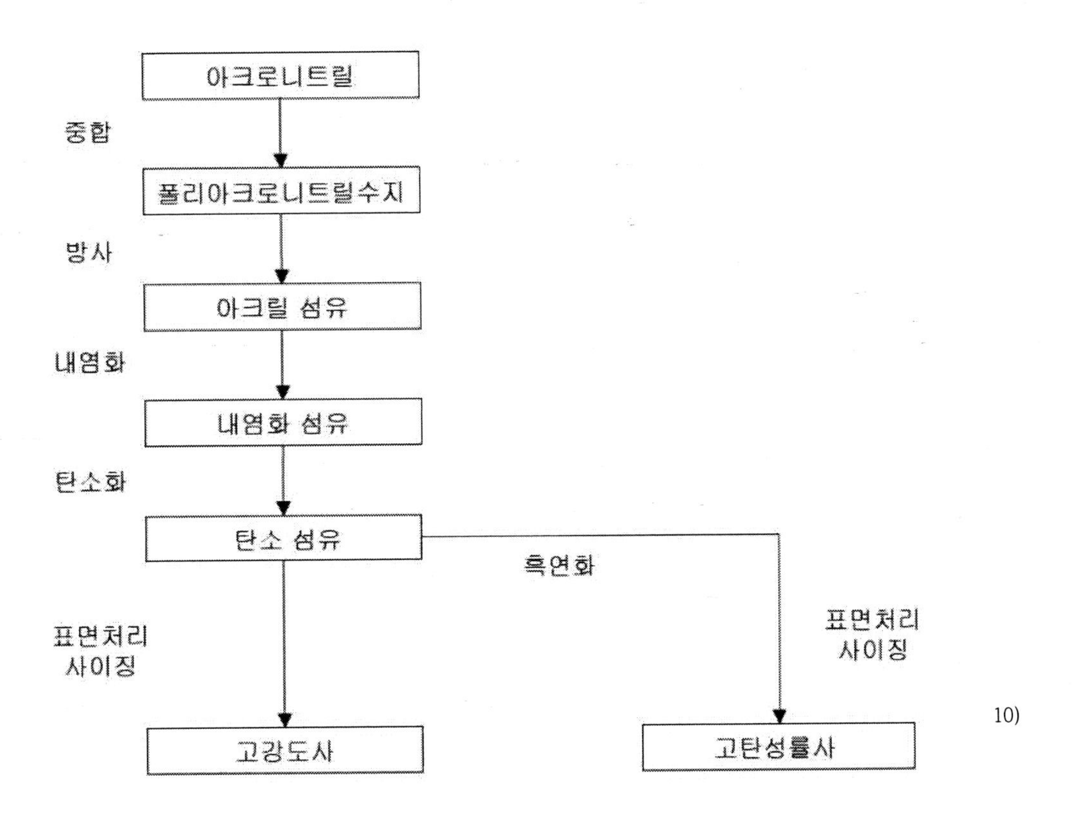

[그림 9] PAN계 탄소섬유의 제조공정

PAN계 탄소섬유의 제조에서 가장 중요한 공정은 내염화공정이다. 이 공정에서 PAN 분자는 탄소화 반응을 제어하기 쉬운 피리미딘(pyrimidine) 고리를 주성분으로 하는 사다리형 고분자로 된다. 내염화 섬유는 이 공정까지를 거친 섬유이다.

의복용 등에 이용되는 일반적 PAN 섬유는 그 자체로는 바람직한 사다리형 분자구조를 형성하기 어렵기 때문에 공중합 등의 수단으로 전구체 원료를 개질하여 사용하며 이를 통해 섬유의 성능과 생산성이 향상된다.

PAN 섬유는 보통 습식 또는 건식 방사법으로 제조된다. 제조법에 따라서 용제나 응고액 등이 달라지지만 특성 차이는 거의 없다.

탄소화나 흑연화 공정에서 다양하게 성질(특히 강도, 탄성률)을 변화시킬 수 있기 때문에 용도에 따라 각종 제품을 얻기 위한 다양한 연구가 이루어지고 있으며 이는 탄소섬유 제조업체의 노하우가 된다.

10) 탄소섬유 제조방법 및 응용분야, 서민강 등, 고분자과 학과 기술, 2010

2) 피치(Pitch)계 탄소섬유

Pitch계 탄소섬유는 PAN계 탄소섬유와 달리 석유 또는 석탄 Pitch로부터 전구체를 얻어 생산되는 섬유이다. PAN 고분자와는 달리 Pitch 구조 자체가 탄소섬유의 구조인 흑연(graphite)과 유사하므로 생산 시에 에너지 소비가 적다는 장점이 있다.

즉, PAN계 탄소섬유 제조공정과 비교하여 낮은 탄화온도와 짧은 탄화시간으로 원하는 물성을 가진 탄소섬유를 제조할 수 있다. 또한 Pitch 전구체 섬유는 불순물인 N2, H2, 그리고 다른 탄소물질의 비율이 PAN 섬유에 비해 낮아 탄화공정후에 높은 탄소섬유의 수율을 얻을 수 있다.

Pitch 섬유의 경우는 단위질량 전구체 섬유 당 생산되는 탄소섬유의 질량이 75% 정도이지만 PAN 섬유의 경우는 50~ 60% 정도의 낮은 수율인 것으로 알려져 있다. 등방성(isotropic)과 메조페이스(mesophase)의 두 가지 Pitch는 각각 저탄성률(100GPa)과 고탄성률(900GPa 이상)의 탄소섬유를 제조하는데 사용된다.

Pitch계 탄소섬유는 흑연 단결정(약 1,050GPa)에 근접한 탄성률(965GPa, K-1100TM, 미국 Cytec)을 구현할 수 있다. 이는 PAN계 탄소섬유로부터 얻을 수 있는 가장 높은 탄성률(588GPa, M60, 일본 Toray)보다 상당히 높다.

또한 Pitch계 탄소섬유는 PAN계 탄소섬유에 비하여 전기적, 열적 특성이 우수하다. 그러나 Pitch계 탄소섬유의 인장강도는 PAN 탄소섬유에 비해 매우 낮다. 등방성 Pitch는 40~120℃ 사이에서 연화점(softening point)을 가진다. Mesophase Pitch는 연화점이 300℃ 부근인 탄소질 Pitch로 알려져 있는 디스크상의 방향족 분자들로 구성된 액정 상태인데 이들의 분자량은 일반적으로 150~1,000g/mol이며 평균 분자량은 450g/mol이다.

Mesophase Pitch의 방사는 일반적으로 약 350℃에서 진행되며 Pitch계 탄소섬유의 직경은 약 10μm인 것으로 알려져 있다. PAN계 섬유와 마찬가지로 Pitch계 전구체 섬유도 약 200~300℃에서 안정화 과정을 거치며 이는 안정화 공정 이후의 탄소섬유 물성을 결정하는데 가장 중요한 인자로 알려져 있다.

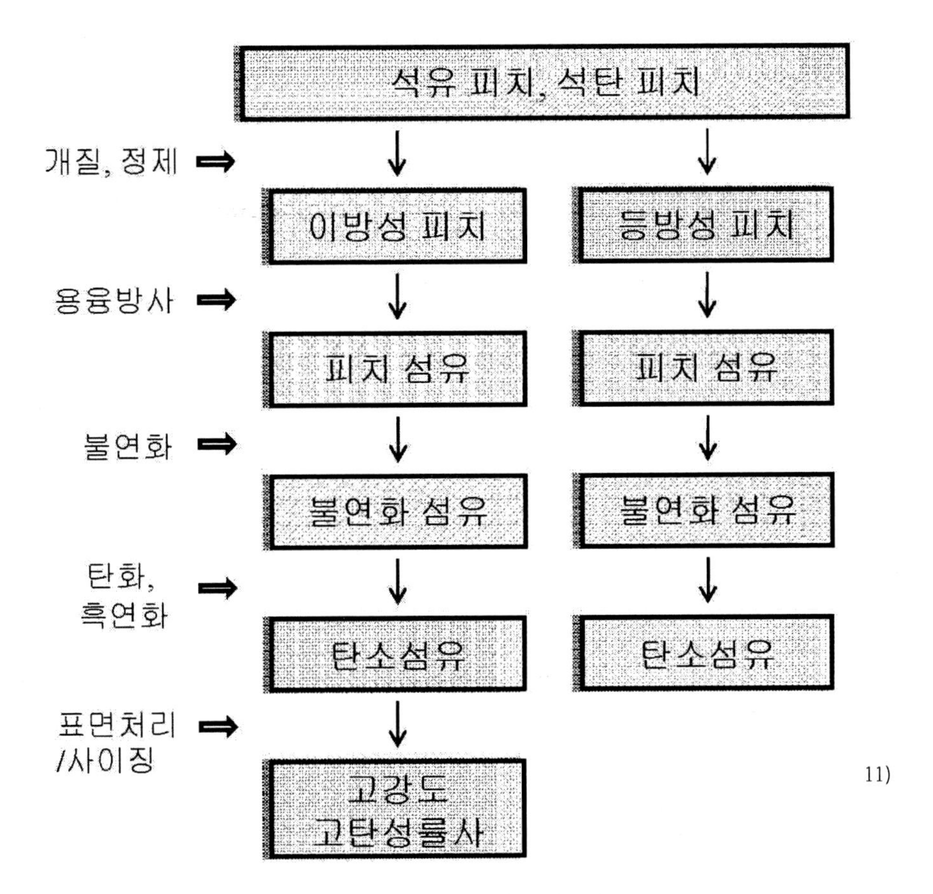

11)

[그림 10] Pitch계 탄소섬유의 제조공정

일정 성상의 등방성 Pitch를 불활성가스 분위기에서 적당한 온도(350~500℃)로 가열하면 다양한 경로를 거쳐서 최종적으로 광학적 이방성을 보이며 네마틱상(nematic phase)[12)]의 Pitch 액정을 포함한 Mesophase Pitch(이방성 Pitch A)로 전환된다.

이방성 Pitch A는 등방성 Pitch에 비해 고분자량이고 연화온도가 높기 때문에 일반적으로 방사온도를 높게 할 필요가 있다. PAN계에서는 공정을 변화시켜 범용 탄소섬유와 고성능 탄소섬유를 제조할 수 있으나 Pitch계의 경우는 전구체에 따라 정해진다. 등방성 Pitch로부터는 범용 탄소섬유가, 이방성 Pitch(A 및 B)로부터는 고성능 탄소섬유가 얻어진다.

Pitch계 탄소섬유의 탄성률은 방향족 축합 고리의 정도와 결정화 정도에 따라 결정된다. Mesophase Pitch계 탄소섬유는 원료단계에서 결정성이 높고 흑연화하기 쉬운 구조를 갖고있기 때문에 비교적 저온에서 단시간에 탄성률이 향상된다.

따라서 PAN계 탄소섬유에 비해 비교적 저렴하게 고탄성률 탄소섬유를 제조할 수 있다.

---

11) 초고온 탄소복합재료, KISTI, 2009
12) 낮은 농도의 용액에서 단일벽 탄소나노튜브는 일정한 방향성을 나타내지 않는 비등방적인 거동을 나타낸다. 그러나 농도가 충분히 증가하면 나란히 정렬되어 에너지적으로 유리하게 되는데 이러한 상태를 nematic phase라고 한다.

3) 레이온계 탄소섬유

미국의 Union Carbide사는 1959년에 직물 모양의 탄소섬유를 상품화하였다. 그 제조법은 직물 모양 또는 펠트 모양의 레이온을 약 900℃까지 천천히 회분방식으로 태운 다음에 최고 2,500℃ 이상의 온도까지 가열하여 흑연화하는 방법이었다.

그리고 레이온을 사전에 인산 유도체나 질산염 등에 침지하여 팽윤시키는 화학처리를 한 후에 탄화시켜 탄화에 필요한 시간을 단축시켜 연속공정이 가능해졌다.

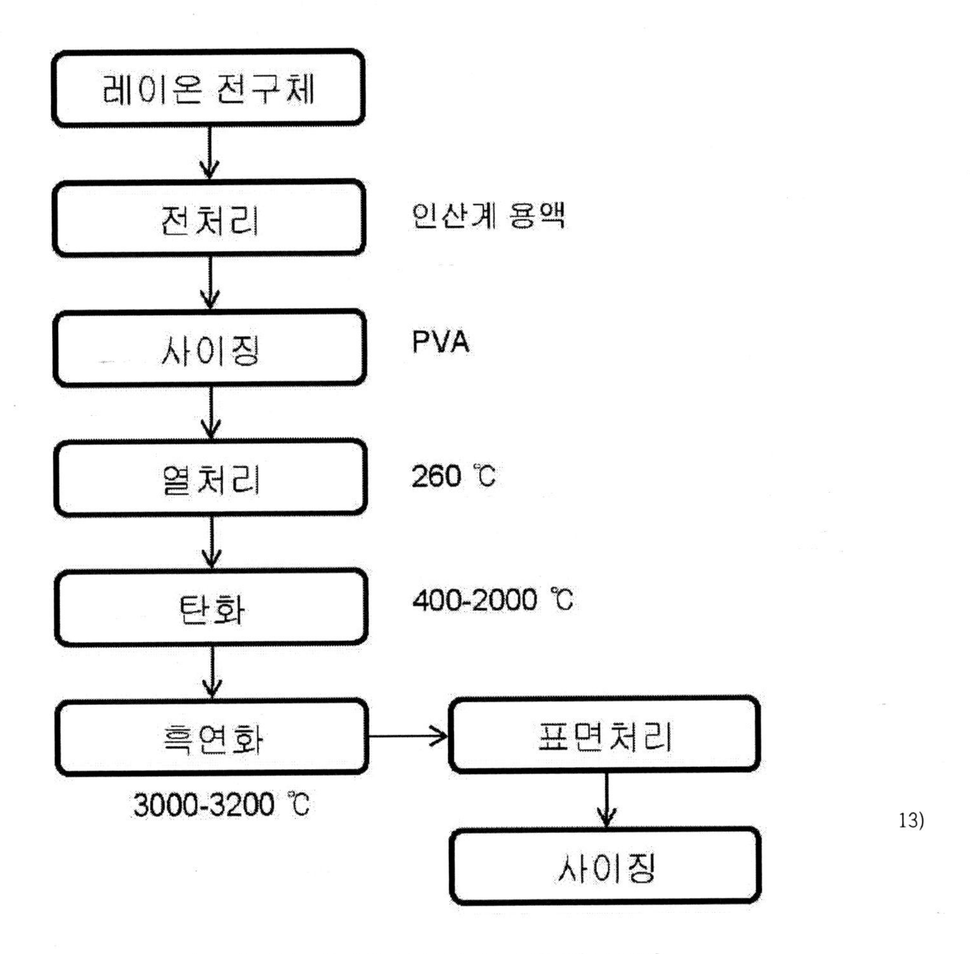

13)

[그림 11] 레이온계 탄소섬유의 제조공정

초기의 연속섬유는 강도와 탄성률 모두가 낮았지만 2,500℃ 이상의 온도에서 연신시켜 고탄성률(500GPa)의 탄소섬유를 얻을 수 있었다. 그러나 이 공정은 비용이 많이 들기 때문에 나중에 PAN이나 Pitch를 원료로 하는 고탄성률 탄소섬유로 대체됨으로써 생산이 중지되었다

13) 탄소섬유 제조방법 및 응용분야, 서민강 등, 고분자과 학과 기술, 2010

4) 탄소섬유 소재 최근동향

탄소섬유가 섬유 분야에서 차지하는 비중은 유리섬유의 1/100 정도로 매우 낮다. 하지만 탄소섬유 소재 시장은 계속 성장하고 있는 중이다. 특히, 항공기나 자동차 등의 경량화 요구가 커지고 있는 상황에서, 금속재료보다 강도는 더 높으면서 가벼운 탄소섬유나 탄소섬유강화 복합재료의 수요는 점점 증가할 것으로 예측된다. 탄소섬유에 대한 연구는 1958년부터 꾸준히 진행되어왔으며, IM7, T700H 같은 항공 소재 등급을 충족하는 탄소섬유는 30년 동안 꾸준히 생산되고 있다. 하지만 더 이상의 인장강도 등의 물성 개선은 거의 이루어지지 못하고 있다. 이는 탄소섬유 구조 내의 결함(defect) 부분이 물성 개선에 한계를 가하기 때문이며, 이는 앞으로의 물성 개선 연구에 있어서 염두에 두어야 할 내용이다. 또한 이러한 탄소섬유의 미세구조 최적화는 내염화나 탄화 공정 단계에서만 이루어지는 것이 아니라 초기의 공중합 단계에서도 일어나서, 전체 반응에 영향을 주게 된다. 따라서 앞으로의 연구 방향은 이러한 점을 고려하여, 지름이 작은 원섬유, 분자량이 높은 PAN, 스피닝 기술의 개선 등을 통해 이루어져야 할 것으로 예상된다.[14)]

14) 탄소섬유 소재 관련 기술 동향 및 전망, KOSEN분석자료, 2018.11.01

바. 탄소섬유 시장동향15)

탄소섬유 복합소재의 초기 도입시기인 1970년대~1980년대에는 높은 가격으로 인해 항공기의 구조재, 고급 낚시대 및 골프 샤프트와 같은 매우 한정된 품목에서만 적용되다가 점차 확대되고 있다.

특히 1990년대 중반부터 탄소섬유 복합소재에 대한 다양한 용도개발과 성형공법 개발로 인해 탄소섬유 복합소재의 사용처가 확대되고 있는데, 탄소섬유 복합소재의 용도가 최근에는 산업계 전반으로 크게 확대되는 추세이며, 관련 분야의 세계 시장은 향후 10년 사이에 4~5배 성장이 기대된다. 산업 분야별로는 우주항공, 풍력, 자동차 분야가 2030년까지 연 평균 약 7%의 성장을 지속할 것으로 예측된다. 그 중, 기체 구조, 바닥 패널 및 착륙 장치를 포함한 항공 우주 구성 요소에서 이러한 재료의 두드러진 사용으로 인해, 우주항공 분야는 2030년까지 60% 이상의 수익 점유율을 차지할 것으로 예상된다.

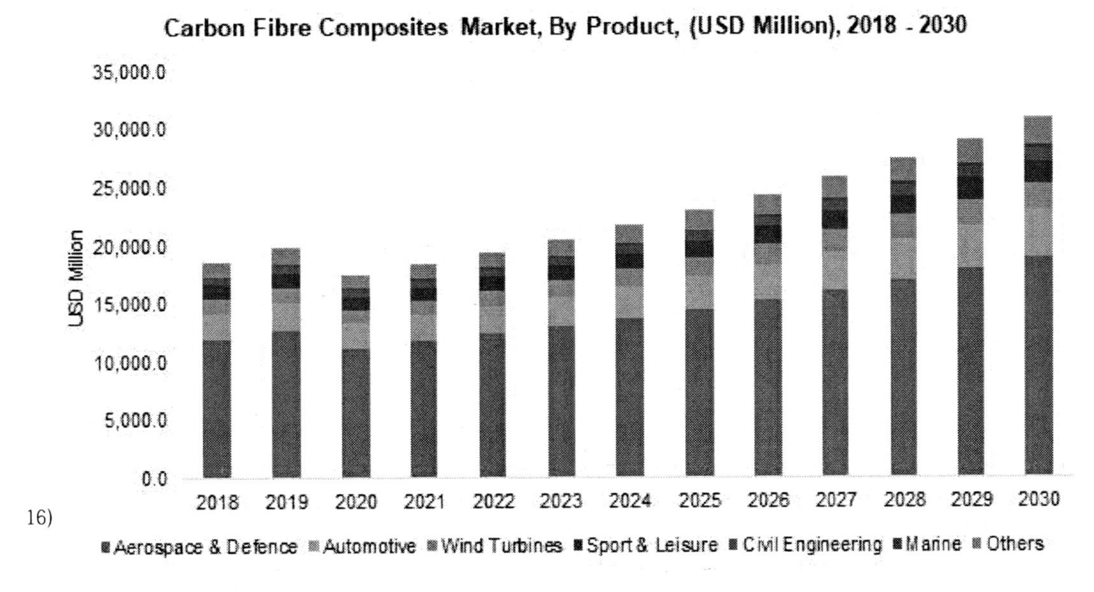

16)

[그림 12] 분야별 탄소복합체 시장규모 및 전망

탄소섬유 세계시장은 2020년 9만 6820톤에서 2030년 32만1280톤으로 지속 증가할 것으로 전망된다. 2019년 한국의 탄소섬유 시장규모는 세계 시장의 약 4%인 3600톤에 그치지만, 향후 2025년엔 2만 1000톤에 이를 것으로 예상하고 있다.

---

15) 탄소섬유 복합소재 시장 동향, 연구성과실용화진흥원, 2016.01

16) Carbon Fibre Composites Market Size, Share and Industry Analysis Report by End-Use (Aerospace, Automotive, Wind Turbines, Sport & Leisure, Civil Engineering, Marine), and Matrix Material (Polymer [Thermosetting, Thermoplastics], Carbon, Ceramic, Metal, Hybrid), Regional Outlook, Growth Potential, Competitive Market Share & Forecast, 2022 - 2030, Global Market Insights

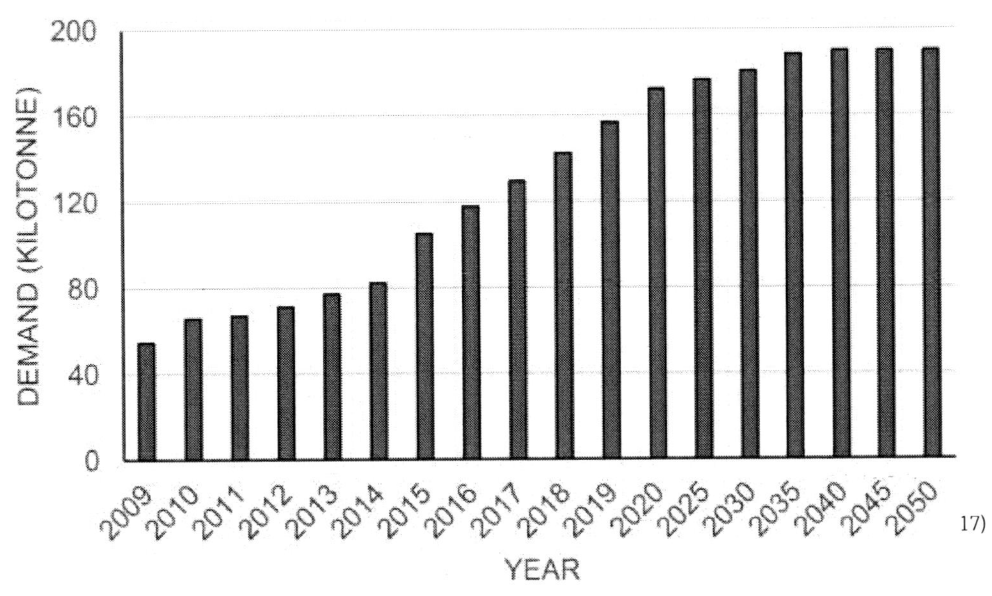

17)

[그림 13] 탄소섬유 시장 전망

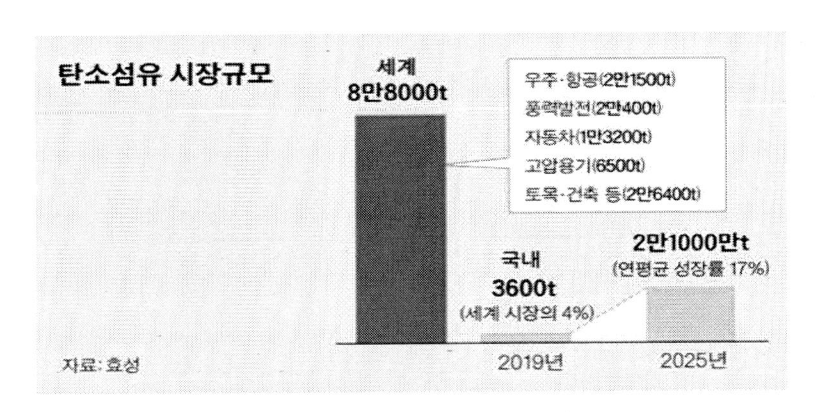

[그림 14] 한국의 탄소섬유 시장규모

용도별 세계 탄소섬유 수요 전망을 보면 2016~2025년까지 연평균 약 10%이상 높은 증가율을 기록할 것으로 예상된다. 특히 수요량에 있어서는 비풍력 에너지용이 가장 많으며, 이어 압력용기용, 자동차레저용, 항공·우주용 순으로 늘어날 것으로 예측된다. 연평균 증가율에 있어서는 비풍력 에너지용이 가장 높게 나타났으며, 이어 압력용기용, 자동차용 순으로 나타난다.

고유가 지속 및 환경규제 강화에 따라 에너지 절감을 위한 수송기 경량화용으로 탄소섬유의 수요량이 크게 확대될 것으로 예상되며, 특히 탄소섬유 가격이 하락되면 더욱 높은 수요가 예상된다.

17) Current status of carbon fibre and carbon fibre composites recycling, jin zhang 외, Science Direct, 2020. 07

시장	2016	2021	2025	연평균성장율(%)
자동차	11,825	23,526	32,708	12.03
압력용기	8,206	25,675	45,327	22.24
비풍력 에너지	17,250	31,744	46,477	10.91
비풍력 에너지	3,750	11,440	29,356	24.45
상용 항공기 부품 및 구성품	7,506	10,319	10,110	6.2
상용 항공기 인테리어	4,649	5,196	5,027	2.7

[표 2] 탄소 섬유 소비 시장 전망

18)

항공·우주용은 세계 탄소섬유 전체 수요 대비 약 18%임에도 불구하고 매출 비중은 약 40%로 가장 높은 것으로 나타났으며, 해당 분야의 고성능·고기능성 소재 수요에 대응하고 있다.

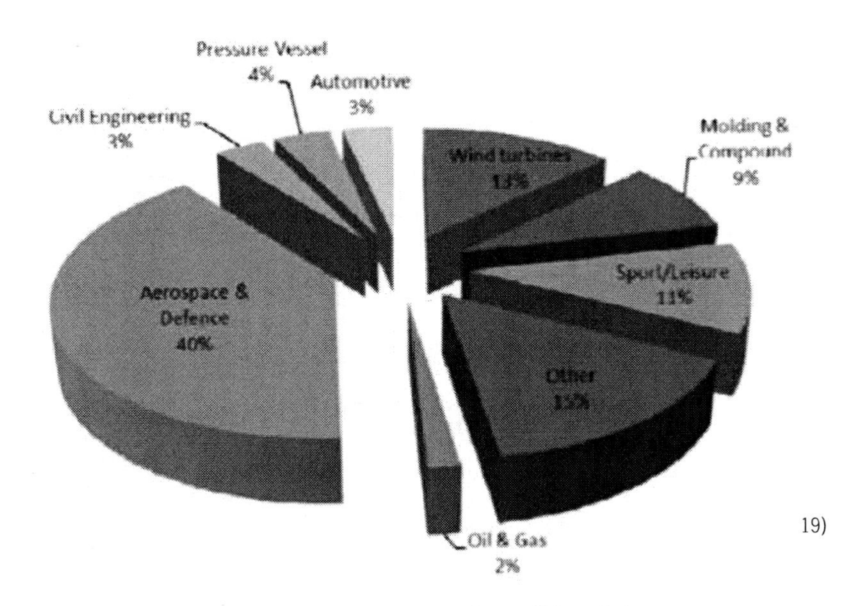

19)

[그림 15] 용도별 탄소섬유 매출 비중

탄소섬유 복합소재 시장은 2019년 30억 달러에서 2030년 70억 달러 이상으로 급성장할 것으로 예상되며, 용도의 확대에 따라 복합소재 시장의 파급 효과는 더욱 커질 것으로 전망된다. 보잉 787, 에어버스 A350, BMW i3 시리즈 등에 50% 가까이 탄소섬유 복합소재를 적용하는 등 항공·우주, 자동차 분야에서 기술적 도약이 일어나고 있다.

18) "탄소섬유 소비 증가는 피할 수 없는 대세" - 미국 카본파이버컨퍼런스 지상중계, 플라스틱 코리아, 2017.01

19) 출처: Carbon Composites(2013)

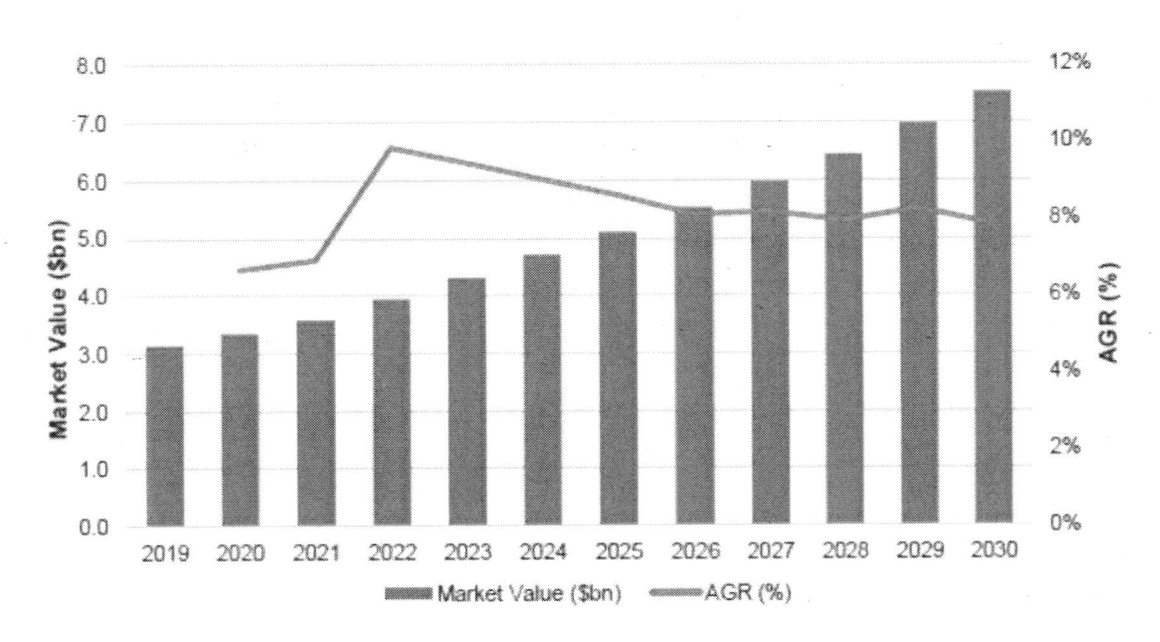

[그림 16] 탄소섬유 복합소재 시장 전망
20)

국내의 경우 원소재는 대부분 수출하고 복합소재와 응용제품은 수입하고 있는 실정이며, 탄소섬유 복합소재 국내 시장의 점유율은 '12년 기준 약 3.4%로 상당히 낮은 수준이다. 탄소섬유 복합소재는 모재에 의해 고분자계, 탄소계, 세라믹계, 금속 등으로 분류되는데 2013년 기준 전체 탄소섬유 복합소재 시장에서 고분자계가 차지하는 비중이 약 64%로 가장 높다.

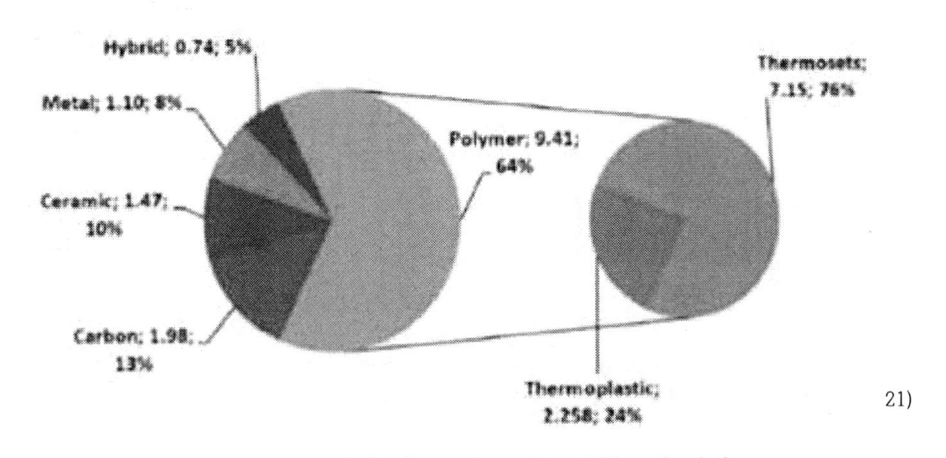

21)

[그림 17] 모재에 따른 탄소섬유 복합소재 시장

특히 항공·우주, 자동차 분야에서 탄소섬유 복합소재의 수요는 전체 시장 대비 약 40%를 차지하고 있으며, 2012년 27,470톤에서 2030년 369,000톤으로 지속적인 성장이 예상된다. 철강재로 구성된 구조물을 탄소섬유 복합소재로 대체할 경우 20~50% 가량 중량을 줄일 수 있어

20) 출처: 탄소섬유 강화 플라스틱(CFRP) 복합재료 시장 예측(2020-2030년) : 예측 데이터, 전망, 주요 기업, 주요 지역/국가 분석

21) 출처 : KRICT 화학정보센터(2014)

연료 효율이 중요한 항공우주 및 전기자동차, 슈퍼카 등의 분야에서 크게 확산이 이루어지고 있기 때문이다.

특히 현재 고가인 탄소섬유 가격이 기술·공정 혁신을 통해 2030년경에는 알루미늄의 약 1.3배 이하로 낮춰져 가격경쟁력이 커질 것으로 예상되고 있으며 최근에는 환경보호 및 경제성을 고려하여 경량화, 안전성 확보를 위한 강도 향상, 가공의 용이성, 비용의 절감에 따라 수송기용 시장이 더욱 커질 것이라고 전망된다.

구분	2012		2015		2020		2030	
	물량	금액	물량	금액	물량	금액	물량	금액
항공,우주	20,100	5,150	31,200	7,050	63,000	12,600	270,000	39,000
자동차	7,370	721	11,440	987	23,100	1,764	99,000	9,460
합계	27,470	5,871	42,640	8,037	86,100	14,364	369,000	44,460

[표 3] 탄소섬유 복합소재(항공·우주, 자동차) 세계 시장 전망 (단위: 톤, 백만 달러) [22]

22) 출처 : KRICT 화학정보센터(2014) 재구성

사. 탄소섬유 정책동향[23)]

고기능성 소재인 탄소섬유 복합소재와 관련하여 각국은 다양한 기술개발 및 육성 정책들을 추진하고 있다.

1) 미국

바이든 행정부의 연비 규제 강화에 따라 미 교통부는 오는 2024~2025년 형 신차는 연비기준을 8% 강화하고 2026년에는 10% 개선할 것이라고 했다. 그에 따른 2026년형 신차의 연비 추정치는 1갤런(3.785리터) 당 약 49마일(78.9km)이 된다.[24)] 이에 따라 탄소섬유에서 복합재료 및 최종제품에 이르는 전체 가치사슬을 커버할 수 있는 클러스터 형성 및 항공용 탄소섬유 복합소재 적용 확대를 위한 고급 탄소섬유 복합소재 개발을 추진하고 있다.

미국 에너지부 및 도로교통안전국 등이 친환경 경량화 자동차 부품 연구개발을 하고 있으며, 2012년부터 탄소섬유 압력 용기를 사용하는 CNG 바이오연료 차량에 대해 생산업체와 구매자에 대당 1만 달러의 세액 공제 등 지원 정책을 운영 중이다. 최근 미국에서는 건설 분야에서 철근을 대체하기 위한 탄소섬유 복합재료 보강재 제품이 생산되어 판매되고 있어 탄소섬유에 대한 수요는 더욱 높아지고 있다.

또한 탄소섬유는 풍력 블레이드에서 탄소섬유 사용 증가, 상업용 항공기의 탄소섬유 복합재 사용 증가등과 같은 이유로 수요가 다시 증가하는 추세이다. 이에 미국은 DOE가 주축이 되어 R&D 프로그램 지원, 첨단제조업 파트너쉽을 통해 혁신센터 개설, 탄소클러스터 조성, 탄소섬유 및 복합소재의 저가화에 집중하고 있다.[25)]

2) 유럽

유럽의 수송기 경량 소재와 관련한 2020년 목표 기준에 따르면, 자동차의 철강 비중은 현재 68% 에서 41%로 낮아지고, 비철 금속 및 합성수지의 사용 비중은 각각 12% 증가할 것으로 추정된다.

유럽은'EU Research Framework'프로젝트의 일환으로 자동차 부품 경량화 관련 연구를 진행하고 있으며 유럽 자동차 업체 및 산업체, 대학, 연구소들이 컨소시엄을 구성하여 2005년부터 진행된 초경량 차체 개발 'Super Light Car Project'에서 다종 소재 혼용 요소 기술을 적용한 차체를 개발하여 37% 경량화 달성 결과가 도출되었다.

또한 90년대부터 자동차 경량화를 위한 'MOSAIC(Material Optimization for Structural

---

23) 탄소섬유 복합소재 시장 동향, 연구성과실용화진흥원, 2016.01
24) 2021년 미국 자동차 산업 정보, KOTRA 해외시장뉴스, 2021.12
25) 미국 탄소섬유 시장동향, KOTRA 해외시장뉴스, 2020.10

Automotive with an Innovation Concept)' 프로젝트를 수행하여 기존 대비 25% 경량화, 설비투자 15% 절감을 목표로 연구개발을 진행하고 있다. 또한 EU에서 'fit for 55'를 발표하며 2030년까지 탄소배출량을 1990년 대비 55% 감축을 목표로 내세워 각종 분야의 탄소섬유 관련 개발은 더욱 박차를 가할 것으로 보인다.

절감을 통해 미국과 유럽은 제조원가 11$/kg 내외를 목표로 저가 탄소 섬유 개발을 진행하고 있으며, 저렴한 전구체 개발 및 안정화와 탄소화 공정에서 에너지 비용을 50% 절감할 수 있는 장비와 공법개발을 추진하고 있다.

3) 일본

일본은 이미 탄소섬유 복합소재 제조 및 이를 이용한 자동차 개발을 위해 NEDO 주도 하에 2012년까지 10년간 총 6,000억원을 투입했다. 현재는 탄소섬유 저가화 공정기술 개발의 중요성을 인식하고 국가가 주도적으로 연구를 지원하며, 특히 성형/접합/안전설계 등 기술 개발에 초점을 두고 진행하고 있다.

탄소섬유 시장이 확대되면서 기존 기업들의 점유율은 70% 이하로 낮아질 것으로 전망된다. 따라서 그동안 세계시장을 주도해왔던 일본 업체들은 기술력, 점유율을 바탕으로 수익성과 경쟁력을 기점으로 한 새로운 사업전략을 구상해야 할 것으로 보인다.

4) 중국

후발주자인 중국은 기술 확보를 위해 연구개발에 투자를 대폭 확대했다. 중국복합소재학회(CSCM)가 발표한 시장보고서에 따르면, 2020년 중국의 탄소섬유 수요량은 총 48,851톤으로 전년 대비 17.5% 증가했다. 최근 3년간 중국의 탄소섬유 생산량은 연간 30% 이상의 가파른 성장세를 보이고 있으며, CSCM은 2025년에 중국의 탄소섬유 자체 생산량은 수입산을 넘어설 것으로 전망하고 있다.[26] 또한 중국은 산업용 탄소섬유 원천기술 및 고기능 탄소섬유 원사 등 연구개발에 투자하고, 세제해택 등을 제공하며, 길림성 하이테크 산업화 기지에 대규모 탄소섬유 기업 집적화 단지를 조성하는 등 규모를 빠르게 확장하고 있다. 탄소섬유 생산 중국 업체로는 Baojing, Zhongfu Shenying, Jiangsu Hengshen 등이 있다.

5) 한국

국내 자동차 생산량의 70% 내외를 해외에 수출하고 있는 상황에서 국제적인 온실가스 규제

---

26) 20년 중국의 탄소섬유 시장 현황, 한국화학섬유협회, 21.04

준수 의무화에 따라 자동차 온실가스 저감 기술 개발은 선제적 대응이 필요한 시점이다. 국내 탄소밸리 지원 사업을 비롯한 정부의 기반 구축 사업이 진행되면서 국내 탄소 섬유 생산 규모는 2014년 1,224억 원에서 2018년 1,445억 원으로 연평균 8.7% 증가하고 있다. 또한 탄소섬유 사업에 적극적인 행보를 보이는 효성첨단소재는 전주시와 손을 잡고 탄소 클러스터 조성에 적극 참여하고 있다.

정부는 탄소섬유의 보급 및 활용을 확대하기 위해 지난 2014년에 창조경제 플래그십 프로젝트로 탄소섬유 복합소재를 선정하여 운영하고 있다. 본 프로젝트는 관련 산업의 경쟁력 향상을 목표로 추진되고 있으며, 2014년부터 2017년까지 총 433억원 (민간 75%+정부 25%)이 투입될 예정이다. 추가로 2015년 7월부터 탄소섬유 복합소재, 티타늄 등 특수금속, 사파이어 글라스 등 첨단소재를 가공할 수 있는 첨단소재 가공시스템 기술개발 사업을 착수했으며, 지속적으로 투자할 계획이다.

현재 국내 탄소섬유 사업은 일본기업과 중국기업 사이에 끼여 입지가 좁아진 상태이다. 미국 탄소섬유 시장 동향을 분석한 결과, 항공우주, 자동차, 에너지 등 탄소섬유 3대 수요 분야에서 국내 탄소섬유 소재 업체들은 기술력 부족으로 시장 진입에 어려움을 겪고 있는 상태이다. 그 와중에 우리 기업들의 주력 분야인 스포츠·레저 산업용 탄소섬유 시장에서 고급 제품은 지속적으로 수출되고 있으나, 중·저가 상품의 제품의 경우 중국과 가격 경쟁 심화로 입지가 좁아지고 있다. 중국 제품과 가격 경쟁을 피하고 제품의 고급화를 추진하는 전략이 필요하다.

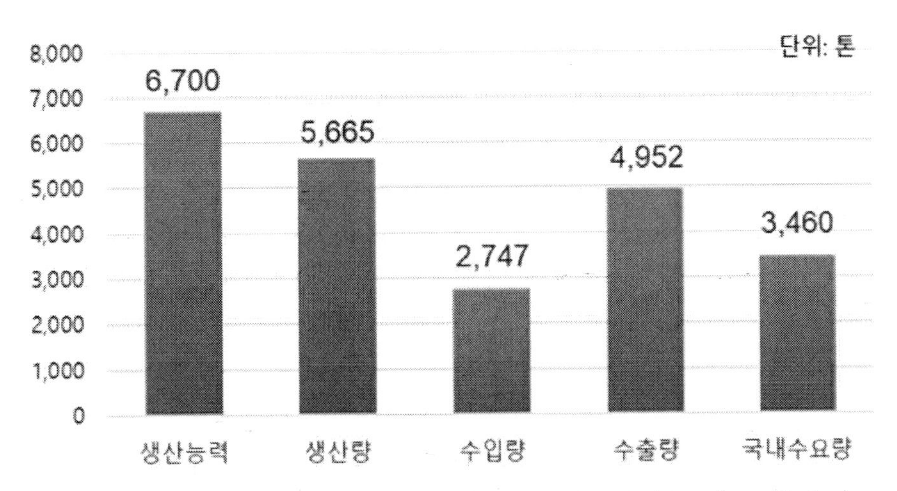

[그림 18] 2017년 국내 탄소섬유의 시장규모 현황

03 탄소복합재

3. 탄소복합재

가. 복합재료 정의

복합재료란 성분이나 형태가 다른 두 종류 이상의 소재가 서로간에 구분되는 계면을 가지도록 조합되어 유효한 기능을 가지는 재료를 일컫는다. 즉, 복합재료는 두 종류 이상의 소재가 합쳐진 것으로, 자연 그대로 존재하는 것이 아니라 인공적으로 제조되어야 하며, 각각의 소재가 원래의 물리적·화학적 상태를 유지하면서 본래의 소재보다 우수한 성능을 가지는 물질이라고 할 수 있다.

복합재료의 구성요소는 크게 강화재(reinforcement)와 기지재(matrix)로 볼 수 있으며, 이러한 요소들로 구성된 복합재료는 일반적으로 층상 복합재료, 입자강화 복합재료, 섬유강화 복합재료 등으로 구분할 수 있다.

복합재료는 기존의 재료의 강도 및 강성도, 내식성, 피로수명, 내마모성, 충격특성, 내열성, 전기 절연성, 단열성, 경량화, 외관 등을 강화할 수 있다. 하지만, 이러한 특성이 동시에 모두 개선되는 것이 아니기 때문에, 목적에 맞게 필요에 따라 선택하여 사용하여야 한다.

앞서 살펴본 특성 중, 최근 복합재료가 신소재로서 가장 주목받는데 큰 부분을 차지하고 있는 것은 무게비 강도 및 강성도라 할 수 있다.

복합재료를 대표하는 단어들과 함께 복합재료에 대해서 알아보도록 하자.

① 조합

'조합'은 여러 가지를 하나로 모아 한 덩어리로 짠다는 뜻을 가지고 있는 단어로, 복합재료의 특성에 대해서 가장 잘 나타낼 수 있는 단어라고 할 수 있다. 복합재료는 두 가지 이상의 물질을 조합해서 만드는 것이므로 어떤 물질을 조합하느냐에 따라 다양한 결과물이 생성된다.

알루미늄 등의 금속이나, 플라스틱, 세라믹 같은 기지(基址)재와 탄소섬유, 유리섬유 등의 강화재를 조합하는 방식에 따라 복합재료의 쓰임새는 크게 달라진다. 금속기지 복합재료의 경우 아직까지는 주로 자동차 부품에 한정돼 있지만, 섬유 강화 플라스틱의 경우 종류에 따라 생활잡화에서 항공·우주분야까지 매우 다양하게 쓰이고 있다.

② 배열

복합재료는 주로 1차원 및 2차원 형상의 강화재가 사용되기 때문에, 구조적으로 강화재의 배열 각도에 따라 서로 다른 물성을 나타낸다. 예를 들어 어떤 규칙으로 배열하는지에 따라 강도가 크게 달라진다.

③ 재료의 이방성

이방성은 말 그대로 물체의 물리적 성질이 방향에 따라 다르다는 것을 뜻한다. 이방성의 쉬운 예로는 대나무를 들 수 있다. 대나무 묶음처럼 방향에 따라 균일하지 않은 물리적 성질을 갖고 있는 것을 이방성이라고 한다.

이방성과 반대되는 성질을 등방성이라 한다. 철과 같은 금속재료들이 대표적으로 등방성을 띠는 물질이다. 어떤 방향이든 금속재료의 강도는 비슷하기 때문에 금속판을 자를 때 필요한 힘은 방향과는 상관이 없다.

④ 설계의 유연성

'재료의 이방성'만큼 중요한 복합재료의 특성은 바로 '설계의 유연성'이다. '설계의 유연성'을 이해하기 위해서는 흙담이나 제비집을 생각하면 쉽다. 시골에 가면 볏짚을 넣고 진흙을 바른 흙담을 쉽게 볼 수 있다. 이는 진흙을 볏짚과 섞어 담을 쌓으면 단순히 진흙으로만 쌓은 담보다 튼튼하기 때문인데, 지역에 따라 볏짚이 아닌 대나무, 돌 등을 끼워 넣기도 했다. 이렇듯 복합재료는 결합하는 재료를 자유롭게 선택해 조합할 수 있는 '설계의 유연성'이라는 특징을 가진다.

이러한 '설계의 유연성'이라는 특징 덕분에 복합재료의 미래는 무궁무진하다. 우수한 성질을 갖고 있는 다수의 재료를 찾기 위한 연구는 지금도 계속되고 있어, 우수한 재료가 많이 개발되는 만큼 새롭게 조합돼 탄생하는 복합재료의 종류도 늘어날 것으로 기대된다.

나. 복합재료의 종류

1) 입자강화 복합재료

복합재료는 보통 모재료에 섬유나 입자, 휘스커(whisker, 바늘 모양의 미세한 입자) 등 다양한 형태의 보강재를 집어넣는다. 이 보강재에 따라 복합재료를 구분할 수 있는데, 길을 지나다니며 흔히 볼 수 있는 건물 벽이나 시멘트로 만든 콘크리트 도로는 입자형태의 재료가 보강된 '입자강화 복합재료(particulate composite)'를 활용한 사례이다.

콘크리트는 시멘트 외에도 모래와 자갈 등이 촘촘히 박혀 있다. 즉, 아주 큰 입자들이 기지상에 가득 차 있는 모양으로 생각할 수 있는데, 이러한 이유로 인해 재료인 시멘트 안에 보강재료인 모래, 자갈을 섞어 딱딱하고 견고한 계단이나 건물을 만들 수 있다.

[그림 19] 콘크리트 계단

27)

27) 출처: https://www.pexels.com/ko-kr/photo/3707673/

2) 섬유강화 복합재료

'섬유강화 복합재료(fibrous composite)'는 다양한 길이의 섬유 형태를 보강재로 사용하는 것이다. 섬유들은 방향성을 갖거나 불규칙하게 배열된다. 어떤 소재에, 또 어떻게 배열되는지에 따라 다양한 성질을 가질 수 있다. 주로 강화섬유는 탄소섬유, 유리섬유, 세라믹섬유, 금속섬유 등이 사용되며, 대체로 무게에 비해 상대적으로 높은 강도와 강성을 갖는 특징이 있다.

현재까지 섬유강화 복합재료는 재료 무대의 주역으로 등장해 왔다. 높은 강도와 강성을 갖는 다양한 섬유들이 개발되면서, 복합재료는 이 섬유들을 활용해 좀 더 가볍고 강한 경량 구조재를 개발하려는 데 집중됐다. 일반적으로 섬유상의 보강재는 입자 형태보다 강화효과가 더 뛰어나다. 섬유는 일정한 길이를 갖고 있어, 잘 부서지는 성질을 가진 재료와 합쳐졌을 때도 그 재료에 큰 결함이 생길 확률을 낮추기 때문이다.

[그림 20] 탄소섬유

3) 고분자 복합재료

고분자가 기능성 섬유와 만나 가벼우면서 강하고 성형하기도 쉬운, 더 많은 장점을 가진 복합재료로 거듭났다. 이처럼 고분자를 기지재로 하는 복합재료를 고분자 복합재료(Polymer Matrix Composite, PMC)라 부른다.

플라스틱, 일명 고분자(polymer)는 poly(많은, 복수의 뜻)와 mer(부분, 단위라는뜻)의 합성어로, '많은 단위'라는 의미의 거대한 분자를 뜻한다. 마치 실에 꿰어진 수천 개의 구슬처럼 분자 단위 단량체(monomer, 단위체)가 사슬로 길게 이어져 거대한 중합체(polymer)를 이루고 있는 것이다.

고분자 복합재료의 가장 중요한 특성은 비행기의 동체로 쓰일 만큼 '가벼우면서도 강한' 특성이라고 할 수 있다. 플라스틱에 섬유강화재를 혼합해 만든 고분자 복합재료는 고분자 단독 소재와 그 특성을 비교하면 강도와 강성이 수십에서 수백 배가 높아진다.

고분자 기지재료의 강도를 1이라 할 때 유리섬유와 탄소섬유는 각각 25, 40이며, 강성, 즉 외부의 힘에 변형하지 않으려는 저항능력은 유리섬유가 고분자 기지재료의 20배, 탄소섬유는 70배 이상이다. 이처럼 고기능 섬유는 강철보다 가벼우면서도, 강철만큼 뛰어난 강도를 갖는다.

더욱이 가벼운 플라스틱과 조합되는 섬유강화 플라스틱은 무게에 비해 상대적으로 강한 이상적인 재료가 된다. 이는 구조재로 응용돼 획기적인 경량화를 불러왔다. 현재 섬유강화 고분자 복합재료는 우주·항공 산업뿐 아니라 골프채, 테니스 라켓과 같은 레포츠용품까지 두루 이용되고 있다.

섬유강화 플라스틱에는 다양한 섬유가 강화재로 사용되는데 유리섬유, 탄소섬유, 아라미드섬유가 대표적이다.

그중 유리섬유강화 플라스틱(Glass Fiber Reinforced Plastics, GFRP)은 섬유강화 플라스틱의 주류를 이루고 있으며 일상생활에 많이 사용된다. 유리섬유는 강도가 높고 열에 강하며 화학적으로 매우 안정된 섬유로, 처음 복합재료의 역사를 함께 시작한 장본인이다. 그러나 유리섬유는 폐기와 재활용이 어렵다는 환경적인 문제 때문에 천연섬유로 대체하려는 움직임이 늘어나고 있다.

탄소섬유강화 플라스틱(Carbon Fiber Reinforced Plastics, CFRP)은 고성능 복합재료의 핵심으로 항공우주 분야에 필수적인 구조재료이다. 탄소섬유는 초고온의 극한환경과 액체, 가스에 의한 부식이 쉬운 환경에서 내열재로서 우수하다. 또 무게가 금속보다 가볍고 강성과 강도가 아주 뛰어나다.

4) 금속 복합재료

인류의 역사는 새로운 금속 가공기술을 익히고 더 강한 금속을 얻음으로써 생활을 크게 변모시켜 왔다. 오늘날 주변의 흔한 금속은 이제 다른 물질과 만나 성질이 향상된 금속 복합재료로 개발되고 있다.

금속은 딱딱하면서도 변형하기 쉬운 성질을 갖고 있다. 예컨대 고무는 변형되기 쉽고 힘을 가하면 잘 늘어난다. 그에 비해 세라믹은 매우 단단해 거의 변형되지 않는다. 일반적으로 물질은 단단할수록 금이 가면서 순간적으로 깨지는 성질이 있다. 가장 단단하다고 알려져 있는 다이아몬드도 어느 각도에서 충격을 가하면 순간적으로 깨어질 수 있다. 이렇게 늘어나기 쉬운 정도와 단단함은 일반적으로 상반되는 성질이다. 그러나 금속은 단단하면서도 쉽게 변형될 수 있으며 심지어 잘 깨지지도 않는다.

이와 같은 금속의 특성을 강화재로 보완해 성질을 향상시킨 것을 금속 복합재료(Metal Matrix Composite, MMC)라 한다. 금속 복합재료는 금속 기지에 주로 세라믹, 섬유 등을 보강해 만든다.

특히 섬유강화합금(Fiber Reinforced Metal, FRM)은 금속 기지재에 가볍고 강한 강화섬유를 포함시켜 금속기지만으로는 얻을 수 없는 우수한 기계적 성질을 가진다. 섬유강화합금은 상온과 고온에서 단단하고 가벼운 특성을 가지는 경량형 금속복합재료와, 1000℃ 이상의 고온에서도 그 특성을 유지하는 고온형 금속복합재료를 개발하는 방향으로 연구돼 왔다.

섬유강화합금이 발전한 것은 고분자 복합재료가 채워주지 못하는 성능의 필요성 때문이다. 보통 고분자 복합재료는 실내 온도에서부터 약 200℃까지는 특성을 유지하지만, 그 이상의 고온에서는 사용하기가 힘들었다.

따라서 이러한 부분을 해결해 초고온에서도 가볍고 단단한 섬유강화합금은 주로 우주산업과 방위산업에 많이 사용됐다. 섬유강화합금이 개발 초기에 주로 항공우주 산업과 군사용 목적으로 연구됐다면, 최근에는 자동차, 스포츠레저 산업 등으로 그 응용의 폭이 확대되고 있다.

이처럼 금속 복합재료는 설계한 그대로 성질을 나타내는 점이 뛰어나 여러 가지 조합에 따라 사용 용도의 폭이 넓다. 앞으로 많은 분야에서의 활용이 기대되는 재료이다.

5) 세라믹 복합재료

세라믹은 기원전 2500년 전 인류 최초의 세라믹 토기가 발견될 정도로 아주 오랜 역사를 갖고 있다. 세라믹은 우리 조상들이 모래와 흙에서 빚기 시작한 도자기를 비롯해 유리, 시멘트, 벽돌 등 전통 세라믹부터 현대의 첨단 세라믹까지 일상생활과 산업 전반에서 아주 중요한 소재이다.

세라믹은 사실 어디까지를 세라믹으로 규정해야 할지 모를 정도로 범위가 넓다. 세라믹은 열을 가해 만든 비금속 무기재료로, 구성 성분은 금속 원소와 산소, 탄소 등의 비금속 원소이다.

산화알루미늄(Al2O3), 탄화규소(SiC)와 같은 금속의 산화물, 탄화물이 세라믹인데, 이는 금속에 비해 열에 강하고 각종 화학물질에 부식되지 않으며, 강도가 높고 잘 마모되지 않는 장점을 갖고 있다. 그러나 가장 큰 단점은 작은 결함에도 매우 취약하다는 것인데, 표면의 작은 긁힘, 흠집이나 내부의 미세 결함에 의해 깨지거나 부서지는 경향이 있다. 즉 제조 중이나 사용 중에 발생하는 열 충격이나 손상에 매우 민감하다는 것이다.

세라믹 복합재료(Ceramic Matrix Composite, CMC)는 낮은 밀도와 매우 높은 온도에서도 견딜 수 있는 세라믹의 중요한 특성을 유지하는 동시에 작은 충격에도 파괴될 수 있는 세라믹의 취약점을 보강해 개발된다. 이때, 세라믹 기지 복합재료로 서 관심을 끄는 것은 실리콘, 알루미늄, 티타늄, 지르코늄 등의 산화물, 질화물과 탄화물 같은 비교적 새로운 세라믹들이다.

세라믹의 적용 사례를 살펴보면, 먼저 로켓을 볼 수 있다. 로켓이 날아가기 위해 로켓엔진에서 엄청난 열이 발생하는데, 그 때 그 열을 버티기 위해서 로켓엔진 연소기 내에는 세라믹 코팅을 이용한 기술이 적용된다.

또한 우주선이 지구 대기권을 진입할 때 생기는 마찰열을 견디기 위해 세라믹 복합재료가 사용된다. 만약 알루미늄 합금으로 우주선을 만들었다면 대기권을 진입하기도 전에 녹아내렸을지도 모른다. 최근 개발되는 우주왕복선과 같은 우주선은 세라믹 복합재로 만들어져 100회 정도 재사용이 가능하다. 이 외에도 고온의 가스터빈 연소실, 터빈 블레이드 등의 부품에 세라믹이 사용된다.

다. 탄소복합재 열가소성수지 제조기술

1) 수지 기준 탄소복합재 분류

탄소복합재를 수지를 기준으로 구분하면 열경화성(thermoset)과 열가소성(thermoplastic)으로 나눌 수 있다.

① 열경화성수지

열경화성복합재에 사용되는 일반적인 열경화성수지는 PE(Polyester), Vinyl Ester, Phenol, Epoxy등이 있다. 열경화성수지는 일반적으로 상온에서 액체상태(liquid state)의 낮은 점도(low viscosity)로 복합재를 만들기 위해 보강섬유의 함침이 용이하다.

반면 열경화성 수지의 사용보관수명(shelf life)은 제한적으로 1개월에서 2년정도로 대기온도에 의존적이다. 또한 레진을 강화하고 점도를 높이기 위해 강화재(hardener)를 합성하여 사용하는 열경화성수지의 합성후 사용가능수명(pot life)이 제한적이다.

특히 함침전 열경화성수지의 경화를 피하기 위해 공정이 잘 준비되어야 한다. 냉동보관된 프리프레그가 사용시라고 할지라도 적층 전 시간을 고려 하여야 하며, 성형을 위해 2단계를 수행한다.

1단계에서는 섬유에 함침에 되기 충분한 낮은점도의 온도까지 가열하고, 이후 2단계에서 압력과 진공을 통해 적층판의 내부 void 제거와 성형을 수행한다. 성형 후 형상이 결정되면 다시 용융(re-melt)되지 않으며, 재활용되기가 어렵다.

② 열가소성수지

열가소성복합재에 사용되는 열가소성수지는 PP(Polypropylene), PC(Polycarbonate), PVC(Poly viny chloride), PA(Polyamide), PPS(Polyphenylene sulfide), PEI(Polyetherimide), PAEK(Polyaryletherketone), PEEK(Polyether ether ketone), PEKK(Polyether ketoneketone)등이 있다.

열경화성수지와 다르게 열가소성수지에는 고체상태를 만들기 위한 강화재(hardener)가 불필요하며, 특별한 온도에서 용융되고 냉각을 통해 고체상태가 된다. 따라서 열경화성복합재와 비교해 파손에 대해 고 충격강도(higher impact strength)와 고변형(higher strain) 특성이 있다.

또한, 보관수명(shelf life) 및 사용가능수명(pot life)의 제한이 없고 재용융과 재 제작등의 재활용성과 수리가 용이하다. 그러나 열가소성복합재는 높은 점도(high viscosity)와 높은 성형온도 조건으로 제조가 어렵다.

기계적·물리적 특성	열가소성수지 (Thermoplastic)	열경화성수지 (Thermoset)
Tensile properties	◉	◉
Stiffness properties	◉	◉
Compression properties	○	◉
Compression strength after impact	○/◉	■/◉
Bolted joint properties	■	○
Fatigue resistance	○	◉
Damage tolerance	◉	■/◉
Durability	◉	○/◉
Maintainability	■/▲	○
Service temperature	○	○
Dielectric properties	○/◉	■/○
Environmental weakness	None/Hydraulic fluid	Moisture(수분)
NBS smoke test performance	○/◉	■/○
Processing temperatures,℃(℉)	343-427(650-800)	121-315(250-600)
Processing pressure, MPa(psi)	1.38-2.07(200-300)	0.59-0.69(85-100)
Lay-up characteristics	Dry, 딱딱함, 어려움	점도 우수, 휨이 용이함
Debulking, fusing, or heat tacking	모든 ply	3 plies 이상
In-process joining options	Co-fusion/consolidation	Co-cure, Co-bond
Postprocess joining options	Fastening, bonding, fusion	Fastening, bonding
Manufacturing scrap rates	◉	■
Ease of prepregging	■/▲	○/◉
Volatile free prepreg	◉	◉
Prepreg shelf life and out time	◉ (상온)	■ (냉동)
Health/Safety	◉	◉

※ 매우 우수함 ◉, 우수함 ○, 보통 ■, 불량 ▲

[표 4] 열가소성, 열경화성 수지의 비교

열가소성 수지 복합재의 적용은 항공기와 자동차분야에 소재의 물성과 가격을 고려한 적용이 점진적으로 증가하고 있으며, PP, PC, PA 등은 자동차 부품, PAEK, PEEK, PEKK, PEI, PPS등은 항공기 부품에 적용되는 열가소성수지로 분리할 수 있다.

열가소성 수지는 일반적인 범용 열가소성 수지와 엔지니어링 플라스틱수지가 상용화를 통해 많이 보급되어 왔으며, 최근 자동차와 항공기에 적용되는 열가소성 수지는 자동차는 PP, PE, PA, PC 등이고, 항공기는 PEI, PPS, PAEK, PEEK, PEKK등이 적용 사용되고 있다. 아울러, 열가소성 (Thermoplastic) 수지는 성형온도와 적용온도에 따른 적용이 산업용, 의료용, 자동차 항공용 까지 다양하게 적용이 이루어지고 있다.

2) 세대별 열가소성 수지

열가소성수지는 고온에서 성형이 이루어지고, 프리프레그(prepreg)는 점도가 낮고, 제조공정은 열경화성과 차이가 많이 나는데 공정중 평판제품은 lay-up과 가압 및 가열을 통한 열강화 성형(heat consolidation)으로 프레스(press)를 이용한 thermoforming으로 제작된다.

굴곡있는 형상의 제품제작은 일반적으로 각 ply의 적층시 열을 반복적으로 적용하고 최종 오토클레브(autoclave, 압력 1.38 - 2.07 MPa, 성형온도 343 - 382 ℃) 성형이 필요하고 조건은 매우 어렵다. 특히, 오토클레브의 부자재인 진공백필림(vacuum bagging film)은 고온용으로 polyimide 계열 Kapton과 Upilex brand가 이용된다.

관련 공정들을 살펴보면, PEEK (Polyetheretherketone) 열가소성수지의 평판 press 일반 공정은 성형온도는 735 +/- 15 ℉, 200 +/-100 psi이다.

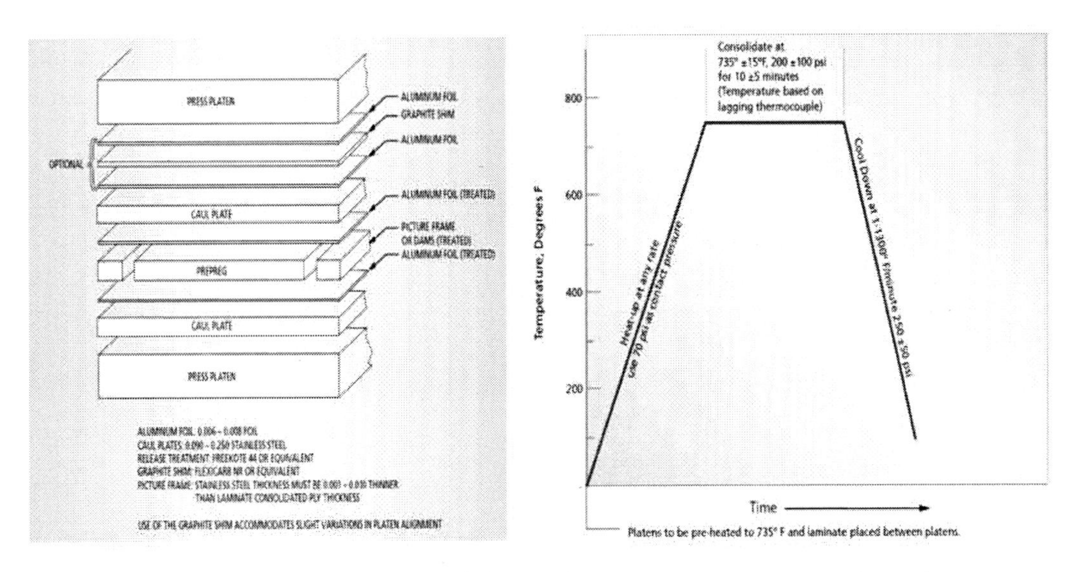

[그림 21] PEEK PRESS 성형 구도(press consolidation scheme)

PEEK(Polyetheretherketone) 열가소성수지의 오토클레브(autoclave) 일반 공정은 polyimide계열의 kepton film을 사용하며, 오토클레브 성형온도는 735 +/- 15 ℉, 100 +/-5 psi, 20분을 유지하며 제조한다.

그러나 오토클레브 공정은 온도승온과 냉각시간이 길어 높은 생산비용으로 1990년대에는 열가소성수지의 복합재 제조가 활발하지 못하다는 단점이 있었다.

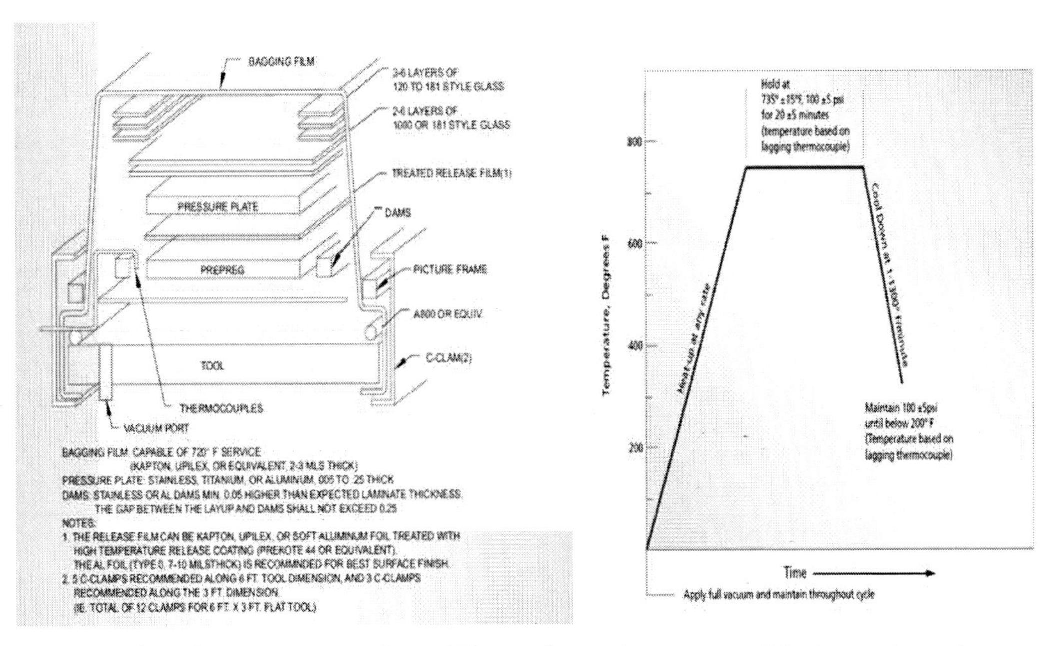

[그림 22] PEEK 오토클레브 성형 구도(autoclave consolidation scheme)

가) 2세대 수지

열가소성수지의 내구성과 손상허용도의 장점으로 인한 응용이 증가하면서 열경화성수지의 2세대는 군용기 F-22, F-18 E&F의 요구도에 맞는 열경화성수지 graphite fiber/epoxy(IM7/977-3)와 IM7/BMI (bismaleimide)은 인성이 향상된 수지로 개발되어, 기존 1세대의 충격후 압축강도(CSAI: compression strength after impact)가 1.3배 향상, 아울러 오픈홀 압축강도(OHCS:open hole compression strength)도 향상되었다.

열가소성수지 PEI(polyetherimide)와 PEEK(Polyetheretherketone)는 1세대 열경화성수지(graphite fiber/epoxies)의 충격 후 압축강도(CSAI: compression strength after impact)의 2배 이상이다.

나) 3세대 수지

3세대 열경화성 수지는 열가소성수지의 충격 후 압축강도(CAI: compression strength after impact)와 오픈홀 압축강도(OHCS:open hole compression strength)의 90% 까지 도달하였으며, 생산비용이 절감되는 열경화성수지의 제조공정이 제시되고 있다.

이와 같은 열경화성수지의 경쟁적 개발과 병행하여 최근에 새로운 열가소성수지 복합재의 생산비용 절감과 생산효율 증대를 위한 자동화 적층(Automated Fiber/Tape Placement), 개선된 thermoforming, microwave 성형등 활발한 연구로 기존 열경화성 수지의 생산시간 및 생산공정을 50% 절감시키면서 항공기 소형부품적용에서 대형부품으로 적용이 증가하는 실정이다.

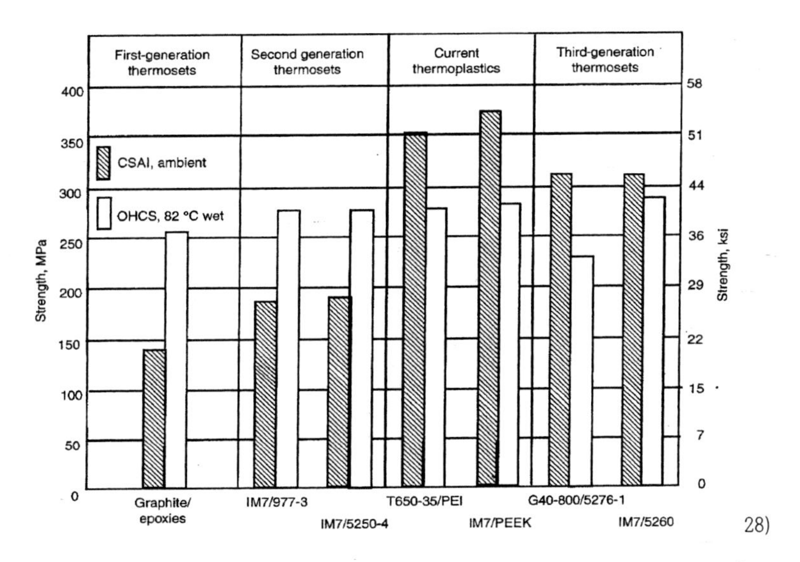

28)

[그림 23] Compression Properties of Thermosets and Thermoplastics

28) Manufacturer data(PEI, Hexcel Corp. ; PEEK, Cytec Fiberite)

3) 제조기술에 따른 열가소성 복합재

열가소성수지는 내충격성이외에 우수한 마찰저항과 수분흡수에도 변하지 않는 매력적인 유전체(dielectric)특성 갖고 있다. 특히 고온용 열가소성수지는 우수한 환경 및 용제(solvent)에 대한 우수한 저항성을 갖고 있다. 이런 우수한 특성으로 인해 군용기 보다 민항기에 적용이 증가하고 있으며, 제조비용 절감과 공정절감을 통해 향후 민항기의 부품의 적용은 점진적으로 증가가 예상된다.

열가소성복합재 제조기술은 아래에 명시된 방법이 일반적으로 제품의 요구도 및 형상, 가격 경쟁력을 고려하여 열가소성 복합재 부품을 제작한다.

성형원리	제조기술
Matched moulding	·Platen pressing ·Stamp thermo forming ·Roll forming ·Pultrusion
Stretch-draw	·Hydroforming ·Rubber pressing ·Double-action matched die molding
Compliance molding	·Autoclave ·Press-clave molding ·Vacuum forming ·Cushion platen molding ·Piston matched die molding ·Diaphragm forming
In-situ consolidation/lamination	·Tape laying ·Filament winding ·Tape/fiber placement ·Continuous belt lamination

[표 5] 열가소성수지 복합재 제조기술

① 일체형 몰딩
일체형몰딩(matched molding)원리는 두 개의 일치하는 몰드다이(mold die) 사이에 재료가 용융된 후 성형되는 것으로 몰드다이는 정밀가공되어야 하며 동일한 콘솔리데에션 압력(consolidation pressure)을 제공하도록 조절되어야 한다.

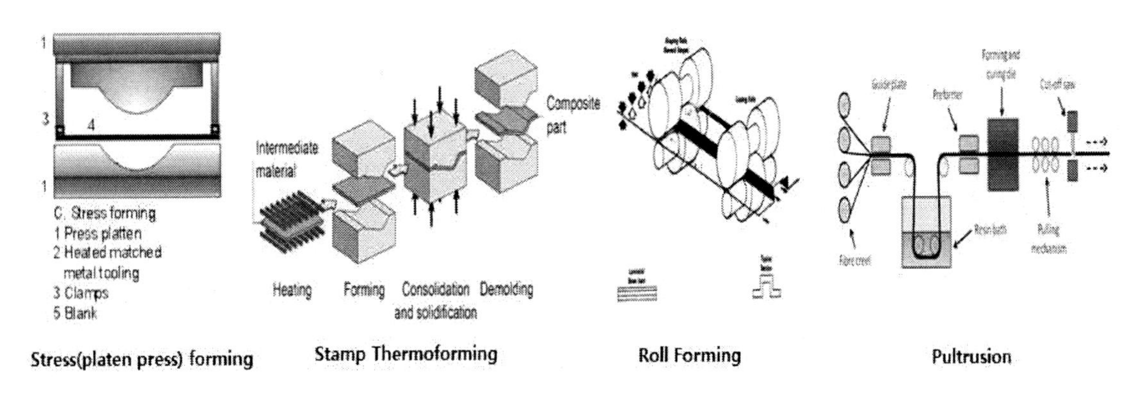

[그림 24] Thermoplastic Composite Matched Molding

② 스트레치드로우 몰딩
스트레치드로우몰딩(stretch draw molding)원리는 금속시트(metallic sheet) 몰딩제조기술에서 유래한 것으로 비 성형 합사(commingled yarn)의 고속몰딩과 관계되는 것으로 프리폼이 가열되고 열이 몰드로 전달되는 상판(male)과 하판(female)의 일치다이(die)로 상판은 고무(elastic rubber), 하판은 금속 또는 상하반대로 구성된다.

액압성형(hydroforming)은 하나의 솔리드 툴 반이 사용되고 콘솔리데이션 압력(consolidation pressure)은 비압축성 유체(합성오일등)에 의해 전달된다.

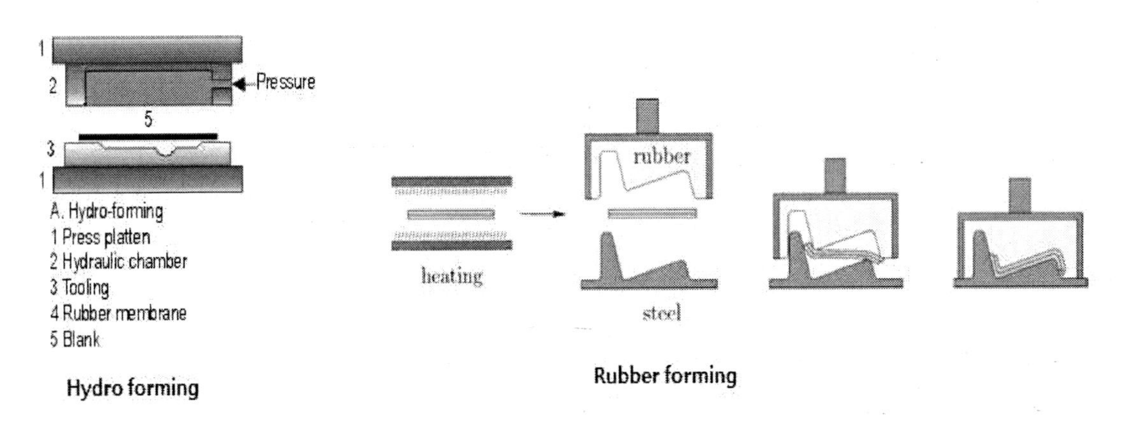

[그림 25] Thermoplastic Composite Stretch Draw Molding

③ 컴플라이언스 몰딩
컴플라이언스몰딩(compliance molding)은 툴의 표면을 이용하여 성형하는 원리로 진공성형(vacuum forming)은 대기압으로 콘솔리데이션(consolidation)하는 기술이다. 열가소성성형의 전통적인 오토크레이브(autoclave) 공정이 여기에 속한다.

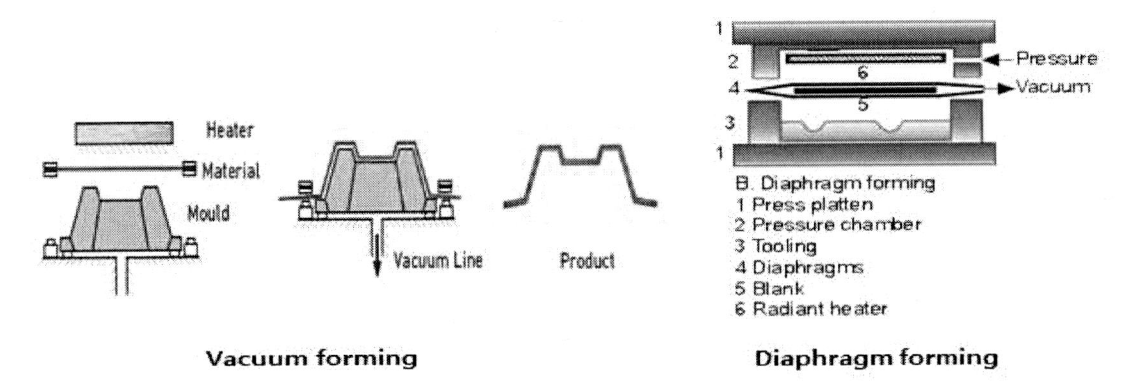

[그림 26] Thermoplastic Composite Compliance Molding

④ 인시츄 성형 및 라미네이션

인시츄 성형 및 라미네이션(In-situ consolidation/lamination)은 프리프레그 테이프(tape), 화이버 토우(fiber tow)를 ply 적층하면서 동시에 콘솔리데이션(consolidation)하는 방법으로 열원은 laser, infrared, hot gas, flame등이 사용된다.

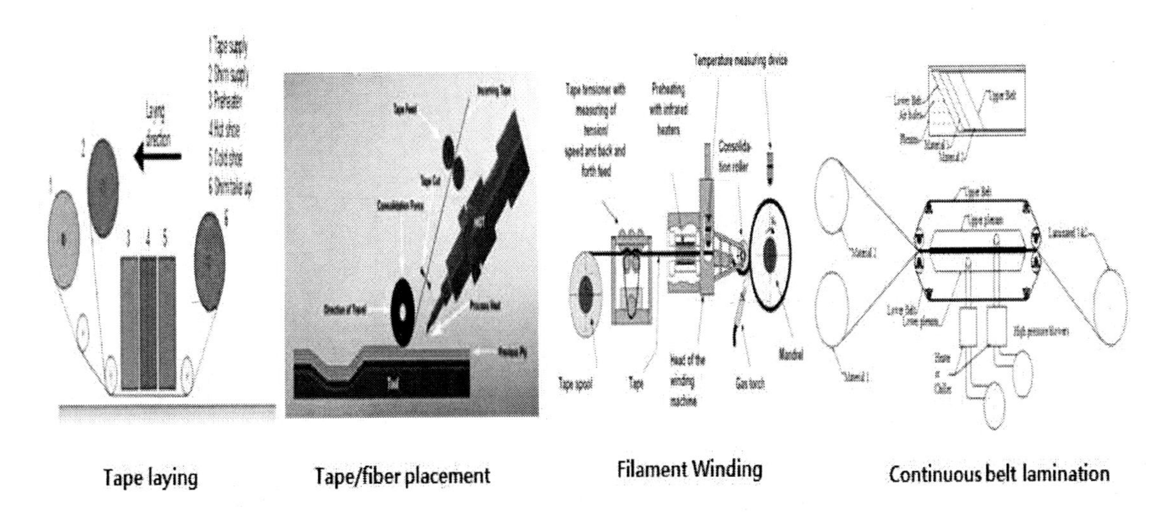

[그림 27] Thermoplastic Composite In-situ Consolidation/Lamination

04 항공기와 열가소성 복합재

4. 항공기와 열가소성 복합재

가. 항공기 기체와 열가소성 복합재

1980년대부터 열가소성 수지 복합 재료의 연구가 진행되었으며, 항공기 부품에 대한 제품화는 유럽을 중심으로 항공기 부품에 대한 제품화가 진행되어 왔다.

적용부위	섬유	수지	부품제조방법	조립방법	적용기종
J-nose	GF	PPS	Skin: Autoclave Folding Rib: Compression Molding	Skin-Rib: Resistance Welding	A340-500 /600
Aileron (Leading Edge Ribs, Angles & Panel)	CF	PPS	-	-	A340-500 /600
Leading Edge Access Panel	CF	PPS	-	Co-consoli dation	A340-500 /600
Fixed wing leading edge Assemblies	CF	PPS	-	-	A340-500 /600
Inboard wing access panels	CF	PPS	-	-	A340-500 /600
Keel Beam Main Ribs	CF	PPS	Compression Molding	-	A340-500 /600
Pylon Panels Skin	CF	PPS	-	-	A340-500 /600
Rudder Nose Ribs	-	PPS	-	-	A330-200
Landing Flap Rib	CF	PPS	Compression Molding	-	Dornier 328
Main Landing Gear Door	CF	PPS	-	Resistance Welding	Fokker 50
Smoke detector pans	CF	PEI	-	-	B737
Galleys	CF	PEI	-	-	B737/757
Stowage bins	CF	PEI	-	-	B747

[표 6] 항공기 열 가소성 복합재 부품의 적용부위

적용부위	섬유	수지	부품제조방법	조립방법	적용기종
Aircraft acoustical tile	CF	PEI	-	-	B767
Bulk cargo floor sandwich panels	-	PEI	-	-	A320
Lower wing fairings	CF	PEI	-	-	A330-340
Trailing edge wing shroud skins	CF	PEI	-	-	Fokker 50
Air steps	CF	PEI	-	-	Learjet
Rudder ribs & trailing edges	CF	PEI	Skin: Folding Rib: Compression Molding	Skin-Rib: Resistance Welding	Gulfstream 450/550
Floor Panels	GF	PEI	-	-	Fokker 100
Floor Panels	CF	PEI	Skin: Folding	-	Gulfstream 450/550
Floor Panels	CF	PEI	Skin: Folding	-	Airbus Beluga
Air Intake	CF	PEI	-	Bonding	A380
Brackets	-	PEI	-	-	B767
Ice Protection Plates	-	PEI	-	-	Dorneir 328
Ice Protection Plates		PEI	-	-	Fokker 50
Vertical Stabilizer Brackets	-	PEEK	-	-	A320
Helicopter floor	CF	PEEK	-	-	EH 101
Rudder Assembly	CF	PEEK	-	-	F-117

[표 7] 항공기 열 가소성 복합재 부품의 적용부위

적용부위	섬유	수지	부품제조방법	조립방법	적용기종
Weapons bay doors	CF	PEEK	-	-	F-22
Access Covers	CF	PEEK	-	-	F-22
Helicopter Horizontal stabilizer	CF	PEEK	-	-	OH-58D
Engine tunnels	CF	PEEK	-	-	Rafale
Parabolic and blade radomes	CF	PEKK	-	-	RC-135

[표 8] 항공기 열 가소성 복합재 부품의 적용부위

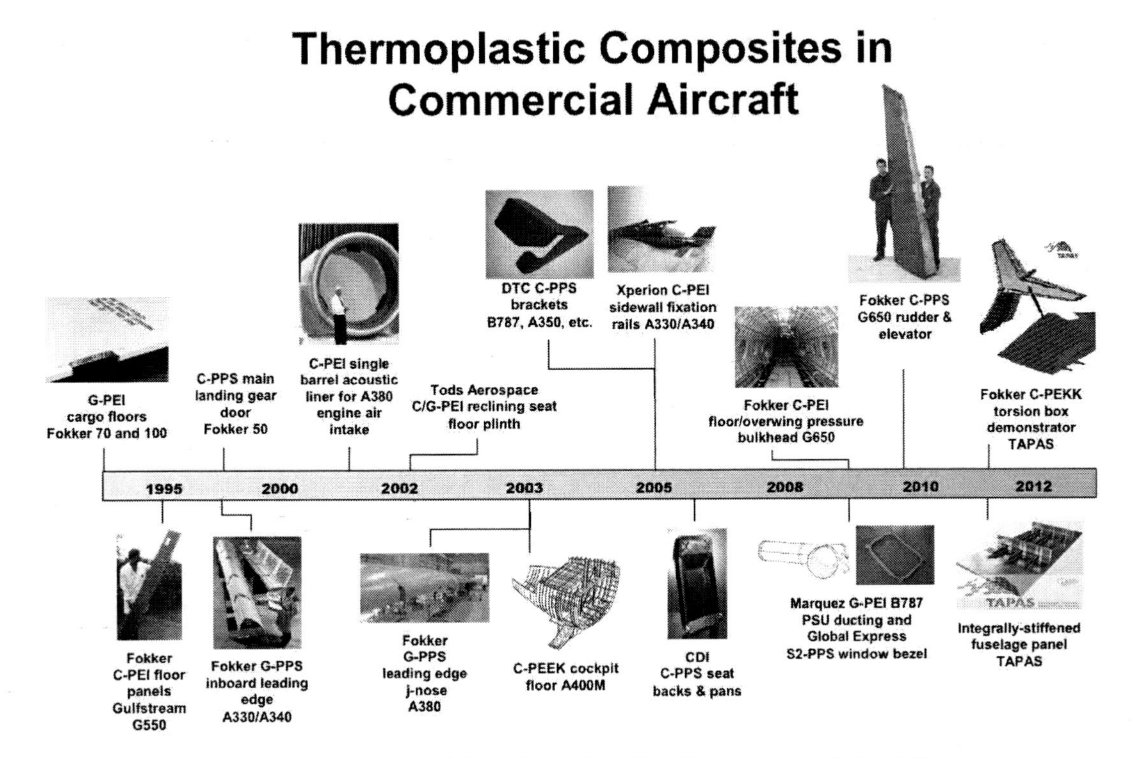

[그림 28] 항공기의 열가소성 수지 복합 재료 부품의 적용 동향

항공기 부품에 사용되는 열가소성 수지는, 대부분 PPS(Polyphenylene sulfide), PEI(Polyetherimide)가 많고 내열성이 뛰어나지만 고비용인 PEEK(Polyether etherketone)는 그 적용이 적으나 최근 강도 및 성능을 고려한 자동화 적층(Automated Fiber Placement/Automated Tape Placement, Fiber Placement등)을 통한 부품제작으로 다양하게 적용이 이루어지고 있다.

최근 에어 버스사의 따르면 PPS수지는 약 1500개의 부품에 적용되고 있으며 그 중 800 여 제품은 프레스 성형(press-forming)에 의한 성형으로 제작된 것으로 알려져 있다.

나. 복잡재료 적용 분류

1) 재료 특성에 따른 분류

열가소성 수지 복합 재료는 열경화성 수지 복합 재료에 비해 높은 인성(toughness)을 발현할 수 있는 점과 성형 온도는 높지만 단시간에 성형할 수 있다는 점이 주요 장점으로 꼽힌다.

고 인성, 즉 충격 후 압축 강도(CAI: Compression After Impact)가 높은 복합 재료는 손상 허용치(damage tolerance)를 높일 수 있으며, 항공기 구조의 경량화에 기여할 수 있다. 또한 성형 시간이 짧은 것은 고 생산율 실현과 단위 시간당 생산성을 높일 수 있으므로 비용 절감에 기여한다. 더불어 열가소성 수지 복합 재료는 매트릭스 수지의 수분 흡수율이 작아 열경화성 수지 복합 재료에 비해서 높은 고온/수분(hot/wet)특성으로 항공기 구조 부재의 경량화에 반영되어 생산 공정에서 재료 냉동 보관이 필요 없는 점에서 비용 절감으로 이어질 가능성을 가진다.

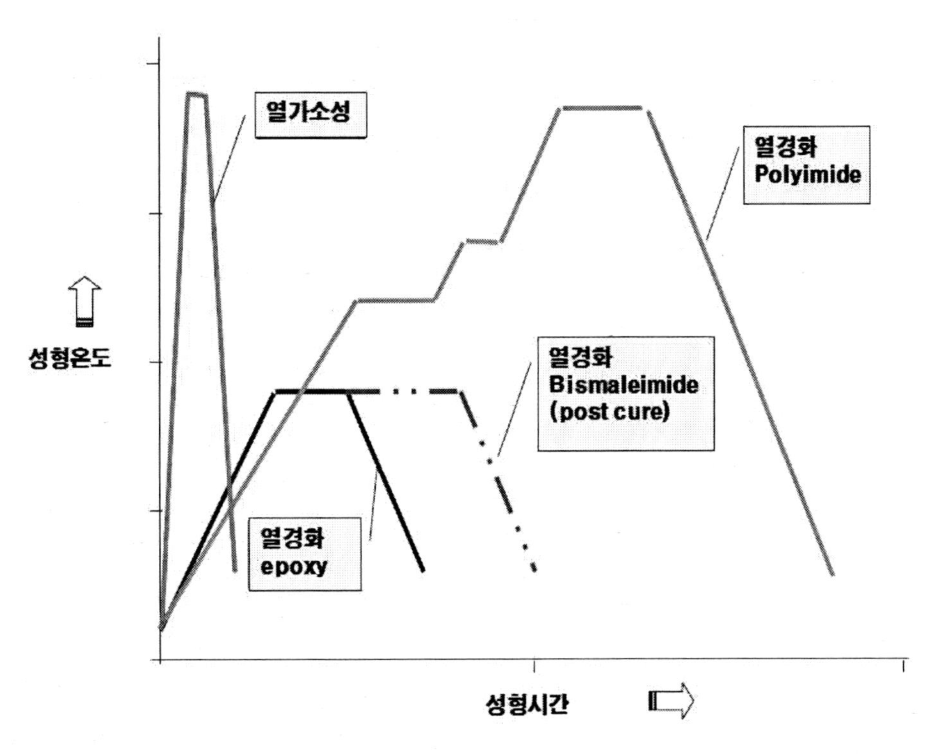

[그림 29] 각종 수지형 복합 재료의 성형 조건

2) 섬유 매트릭스 수지 측면에서 검토

항공기 기체 구조(엔진 주변을 제외)의 내열 요구는 한여름의 땡볕 아래서 계류 중에 기체 표면 온도가 약 80℃ 정도이며, 순항 고도의 약 1만 m부근에서는 약-55℃ 정도가 되기 때문에 그 온도 영역에서 운항 조건에 따른 필요한 역학적 특성을 보증할 수 있는 것이 필요하다.

부재의 강도·강성 면에서 강화된 섬유는 연속된 탄소 섬유가 경량화에 기여하고, 그 강화 섬유의 특성을 효율적으로 발현시키는 내열성, 탄성률, 인성(신장)등의 특성을 가진 매트릭스 수지가 필요하다.

네덜란드의 델프트 대학(TU Delft)에서는 항공기 주구조 부재에 매트릭스 수지에 PPS, PEEK를 이용한 열 가소성 수지 복합 재료를 적용하기 때문에 폭넓은 온도 범위에서의 온도 영향 평가(Tg(유리전이온도)-사용 온도-열 변형 온도의 관계 파악)을 하고 있다. 특히 PPS처럼 Tg(약 88℃)과 사용 온도(약 80℃) 근처 매트릭스 수지를 선택할 경우에는 이런 온도 영향의 세부 평가가 중요하다.

3) 성형 설비 측면

열 가소성 수지 복합 재료의 성형품 형태와 성형품 사이즈를 매개 변수로 한 성형 방법의 일반적인 관계는 다음과 같이 나타낼 수 있으며, 적용되는 재료, 부재의 형태, 요구되는 성능, 생산성 등을 고려하여 적절한 성형법을 선택할 필요가 있다.

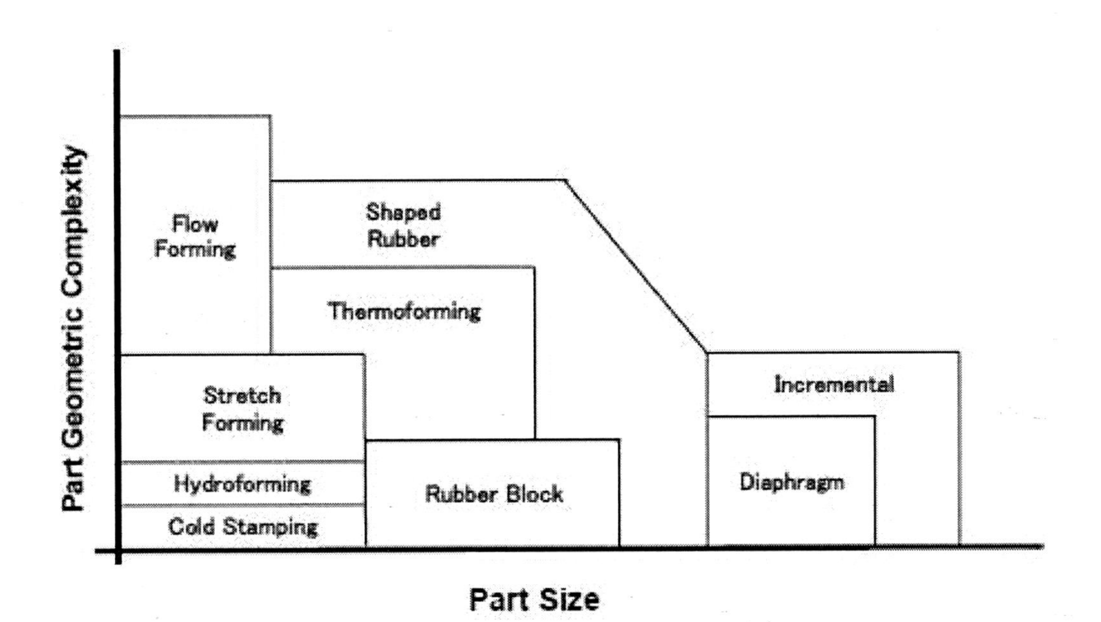

[그림 30] 성형품 형태와 성형 사이즈를 매개 변수로 한 성형 방법의 관계

4) 이차 가공 측면에서의 검토

열가소성 수지 복합 재료로 성형된 부품을 이차 가공할 경우의 조립 방법으로 융착(welding)이 꼽힌다. 이는 열가소성 수지를 가열하여 용융 특징을 이용한 것으로, 기계적인 결합의 경우에는 볼트(bolt)와 리벳(rivet)에 따른 하중 전달이 이뤄지는데 융착에서는 접착 면에 따른 하중 전달이 이뤄진다.

융착의 이점은 볼트 홀(hole)가공 작업에 의한 강화 섬유의 손상이라는 문제가 없는 것과 비싼 패스너(fastener)를 필요로 하지 않는 것과 이로 인한 중량 경감이다.

융착의 종류는 부품을 가열하는 방법으로 다음 3가지 방법이 잘 알려져 있다.

① 저항 융착

부품 간에 가열체(resistance heating element)라 불리는 것을 끼어 가열체에 전기를 흘려 발열을 통해 수지를 용해 접착하는 방법의 융착

② 유도 융착

접착시키는 부분에 대해서 유도 임플란트(implant)에 자계(magnetic)를 유도가열과 압력을 가해 수지를 용해하는 방법의 융착

③ 초음파 융착

초음파 진동에 의한 부품의 계면을 발열하여 수지를 용해시키는 방법의 융착

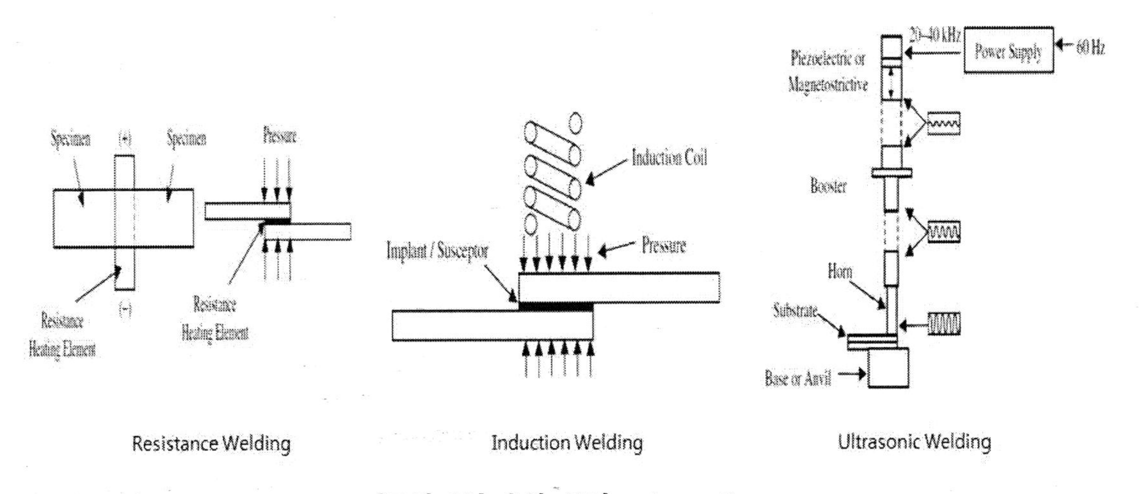

[그림 31] 융착 공정 schematic

부품들의 융착에 중요한 것은 융착 부위에 가압이지만, 평판 사이의 융착에서는 프레스기가 적용된다. 부분적인 융착에서는 튜브와 공기압이 이용되는 것이 많다.

저항 융착(resistance welding)에서는 가열체를 부품 간의 융착 면에 끼워 넣기 용이하고, 융착 부위에 접근성이 뛰어나기 때문에 융착시의 가압이 쉽다는 이점이 있다. 그래서 접착 부위의 품질을 안정시킬 수 있는 융착 기술 중에서 저항 융착이 가장 잘 적용되고 있다.

열가소성 플라스틱 복합 재료의 홀 가공 및 트림 작업은 기본적으로는 열경화성 수지 복합 재료와 다를 바 없다. 다만 수지의 특성상 가공 중에 발열을 수반하는 경우에는 수지가 연화하므로 정밀한 구멍 지름이나 형상의 확보를 못하게 된다. 홀 가공을 예로 들면 열경화성 수지 복합 재료에 홀 가공 시 보다 낮은 회전수에서 드릴을 사용하여 발열을 억제하는 노력이 필요하다.

다. 적용 사례

1) 에어버스(Airbus)

열가소성 플라스틱 복합 재료의 부품을 적극적으로 채용하고 있는 에어 버스(Airbus)사 현황은 다음과 같다

가) 열가소성 수지 복합 재료의 적용 현황

열가소성 CFRP(탄소섬유 강화 플라스틱)는 수천 개의 탄소 필라멘트 스레드가 함께 번들로 묶여 복합재료를 형성하기 위해 매트릭스와 결합될 때 생성된다. 이것은 다른 소재에 비해 짧은 제조 주기, 낮은 수분 흡수, 우수한 손상 내성 특징을 가지고 있다. 또한 이것으로 불가능한 용접도 가능해 쓰임이 각광받고 있다. 에어버스는 약 1500개 이상의 부품에 열가소성 CFRP를 사용해 제품을 만들고 있으며, 그 사용은 계속 증가할 것이라고 전했다.[29] PEEK는 내열성이 높아 1차 구조 부품에 적용이 검토되고 있다. 민항기 적용은 아직 이뤄지지 않았지만 A400M의 cockpit 부위(floor beam, floor panel)에 그리고 A380 wing fixed leading edge 채용되고 있다.

[그림 32] A380 Leading Edge

나) 열가소성 수지 복합 재료의 장점 및 단점

열가소성 수지 복합 재료를 채용하면 오토 클레이브(autoclave)와 냉동고 등의 설비가 사라

29) Airbus focuses on thermoplastic composite materials, manufacutirng group, 2022.01

져 운용비가 절감될 수 있다. 또 손상 시에는 가열함으로써 수리가 쉽게 될 것으로 기대가 된다. 다만 수리에 대해서는 공장 내에서 수리는 문제가 없지만 운용 시에서 수리에 대해서는 일부 연구를 통해 개발이 이루어지고 있지만 아직까지 확립된 수리기술의 검토가 이루어지지 않았다.

또한 다른 문제점으로, 내열성과 가공성이 반비례하거나 내열성 요구되는 1차 구조 부품에서는 현 단계에서는 비싼 PEEK밖에는 선택이 없다는 것 등이 꼽힌다. 또 변형 크리프(creep)에 대한 염려는 하지만, 현재 채용 중인 A340-500/600 J-nose에 대해서 크리프에 따른 변형의 사례 보고는 없다.

장점	단점
가공비용이 낮다	항공기 부품 적용이 가능하나 종류가 제한적
성형시간이 짧다	가격이 높다
내충격성과 FST(Flame, Smoke, Toxicity)가 우수	가공성형온도가 높다 (~400 ℃, PEEK)
보관설비 불필요	Prepreg 굴곡이 어렵다
재활용 용이	내열성이 낮다(PPS)
수리용이	creep특성 발생한다

[표 9] 열가소성 수지의 장단점

다) 향후 방향

1차 구조 부품용 수지로서 PPS와 PEEK의 중간의 내열성을 가진 PPS+개발이 이루어지고 있다. A350 XWB 기종 이후의 기체에서 1차 구조 부품에 널리 사용할 수 있도록 EADS(European Aeronautic Defense and Space)가 중심이 되어 ATL(Automated Tape Layup)과 AFP(Automated Fiber Placement)장치의 제조의 연구 개발이 이루어지고 있으며 2015~2020년을 목표로 하고 있다.

2) 보잉

유럽의 열 가소성 플라스틱 복합 재료의 부품개발 보다 4~5년 뒤쳐진 관심으로 열 가소성 플라스틱 복합재료의 최근 적용을 확대하고 있는 보잉사 현황은 다음과 같다.

가) 열가소성 수지 복합 재료의 적용 현황

2007년 독일의 열가소성 R&D 프로그램에 관심을 가지게 된 보잉(Boeing)사는 Tencate사, Fokker Aero-structures, University of Twente와 열가소성 복합재 관련 초기 협력을 시작으로 2008년 열가소성 재료, 결합 및 본딩 관련 두 개의 공동연구 프로젝트(Joint research projects)에 보잉(Boeing)사 1st tier 인 영국 연구소 AMRC(The university of Sheffield's Advanced Manufacturing Research Center)를 통한 참여를 시작했다.

2009년 네덜란드 TPRC(Thermoplastic Composites Research Center, Enschede)와 Boeing's Global network of research center 계약을 맺었으며, TPRC는 2012년 네덜란드 Twente 대학 캠퍼스에 근접한 곳에 연구시설 운영을 시작하여 열가소성 복합재 연구를 시작했다.

TPRC는 컨소시룸 멤버쉽을 통한 Tier 1 (Boeing, Fokker Aerostructures, Tencate, Alcoa Fastening Systems and Rings, The University of Twente, Saxion University of Applied Sciences등), Tier 2(Coriolis Composites, Daher-Socaya, Pinette Emidecau, Instron, KVE, Aniform, Dutch Thermoplastic Components BV, The Delft University 등)의 fee와 Bi-lateral 프로젝트 멤버 연구비 일부와 프로젝트, European-level 및 지역 fund를 통해 연구활동을 수행하고 있다.

특별한 프로젝트는 TPRC의 위원회(Consortium Board and Technical Advisory Board)가 결정하며, 연구시설내의 신규개발기술은 TPRC의 IP(Intellectual Property) 자산으로 Tier 1은 자동으로 사용권리를 가지며, Tier 2의 사용은 Tier 1의 승인을 얻어야 한다.

TPRC의 보유장비는 Layup tables, Lab-scale autoclave(Italmatic), Automated high speed compression molding work cell(Pinette Emiderc며), Robotic Automated Tape Placement(ATP) System[single tow head](Corilois), Materials testing Laboratory, Office, Conference rooms, Materials Storage등 건물을 포함해 약 1,000 m2 공간을 보유하고 있다

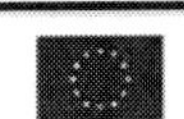

[그림 33] TPRC members and partners

나) 향후방향

TPRC의 주요 진행 연구는 다음과 같다.[30]

① 고급 성형 및 Overmolding (구조적 장섬유 복합재(long fiber composite) substrate에 injection molding 하여 제작하는 구성품) 기술
② 대형 항공 우주 구조물의 비용 효율적인 제조
③ 차세대 열가소성 복합 소재를 위한 지속 가능한 공정
④ 열가소성 복합 소재의 성능

30) TRPC, Main reserch directions, https://tprc.nl/research-overview

라. 기술동향

1) 글로벌 기술동향[31)]

가) 탄소섬유 소재의 기술개발 동향

- 유기물의 열분해를 통하여 제조되는 탄소섬유는 일반적으로 방사 공정, 안정화·탄화 공정, 그리고 후처리 공정을 통하여 제조됨
- 따라서 탄소섬유는 전구체의 종류, 방사 조건, 열처리 조건, 그리고 후처리 조건 등에 의하여 물리·화학적 구조가 달라지며 이에 따른 물성 또한 다르게 나타남
- 탄소섬유는 인장강도와 인장 탄성률에 따라 범용 탄소섬유와 고성능 탄소섬유로 구분될 수 있는데, 범용 탄소섬유는 인장강도 3,000~5,000 MPa, 인장탄성률 230 GPa 전후의 저탄성률형 탄소섬유를 지칭하며 고성능 탄소섬유는 고강도, 중탄성률·고강도, 고탄성 섬유를 통칭함
- 탄소섬유 제조기술관련 연구는 크게 두 가지 방향으로 진행되고 있으며, 초고성능 탄소섬유 개발과 저가 탄소섬유(범용 탄소섬유) 개발로 요약될 수 있음.

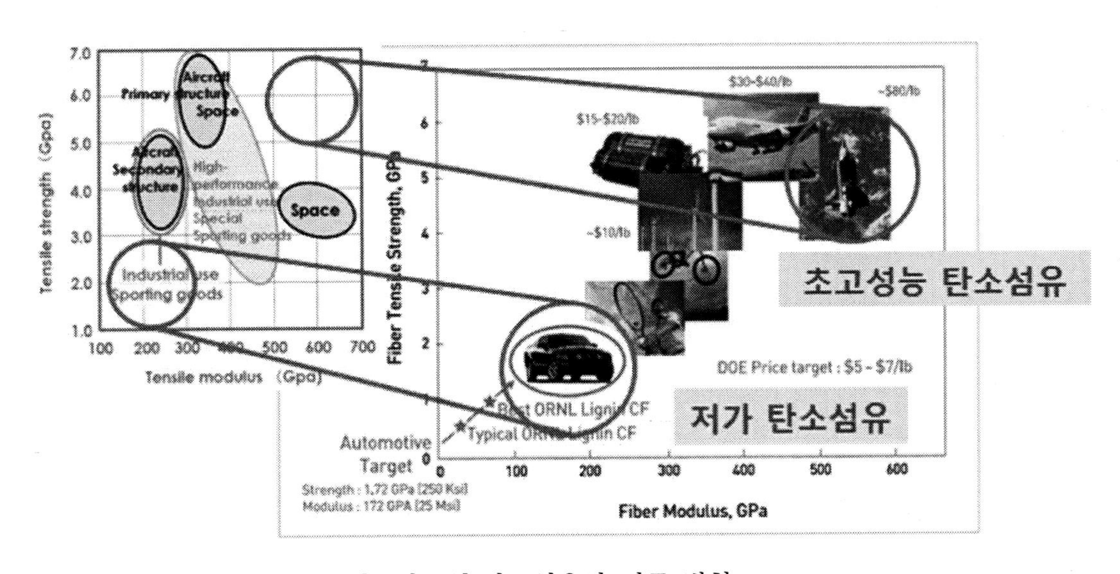

[그림 32] 탄소섬유의 연구 방향

나) 저가 탄소섬유 기술개발 동향

- 높은 강도, 낮은 질량으로 인해 탄소섬유 복합재가 항공·방산 및 스포츠·레저 용품 산업에서 수십 년간 사용됐으나, 상대적으로 높은 가격으로 인하여 보다 다양한 산업으로의 적용에 어려움이 있음
- 현재 우주·항공용 탄소섬유는 kg당 20~25$ 수준으로 형성되어 있으나, 풍력 블레이드와 자동차 산업의 경우 kg당 10~15$ 수준을 요구하고 있음
- 이에 저가 탄소섬유에 대한 세계 각국의 연구 개발은 매우 활발하게 진행되고 있으며, 향후 인장강도 1.7 GPa 이상과 탄성률 170GPa 이상의 물성을 지니면서 10$대의 낮은 제조원가를 만족시키는 저가 탄소섬유 제조기술 개발에 성공한다면 급격한 수요 증가가 예상됨
- 현재 탄소섬유의 가격이 높은 이유는 복잡한 생산 공정 때문인데, 원자재나 전구물질을 탄소섬유로 전환하기 위해 자본 집약적 장비 등 여러 단계를 거쳐야 함

---

31) 탄소섬유 소재산업 및 기술개발 동향, 8월 이슈리포트, KIST, 2020.08

- 또한, 급격한 수요 증가에 대응하기 위한 탄소섬유의 대량 생산은 지금보다 저렴한 저비용의 전구물질을 통해서 가능할 것으로 예상됨
- 따라서 저가 탄소섬유 제조를 위한 저가의 전구체를 개발하거나 공정비용을 줄이는 공정을 개발하는 방법으로 연구들이 진행되고 있음

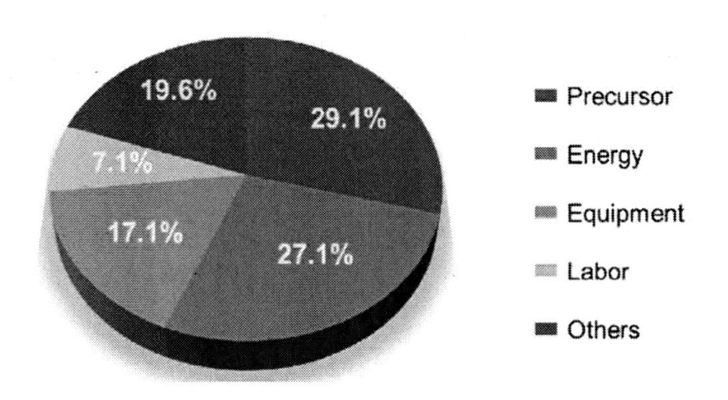

[그림 33] 탄소섬유 가격구조

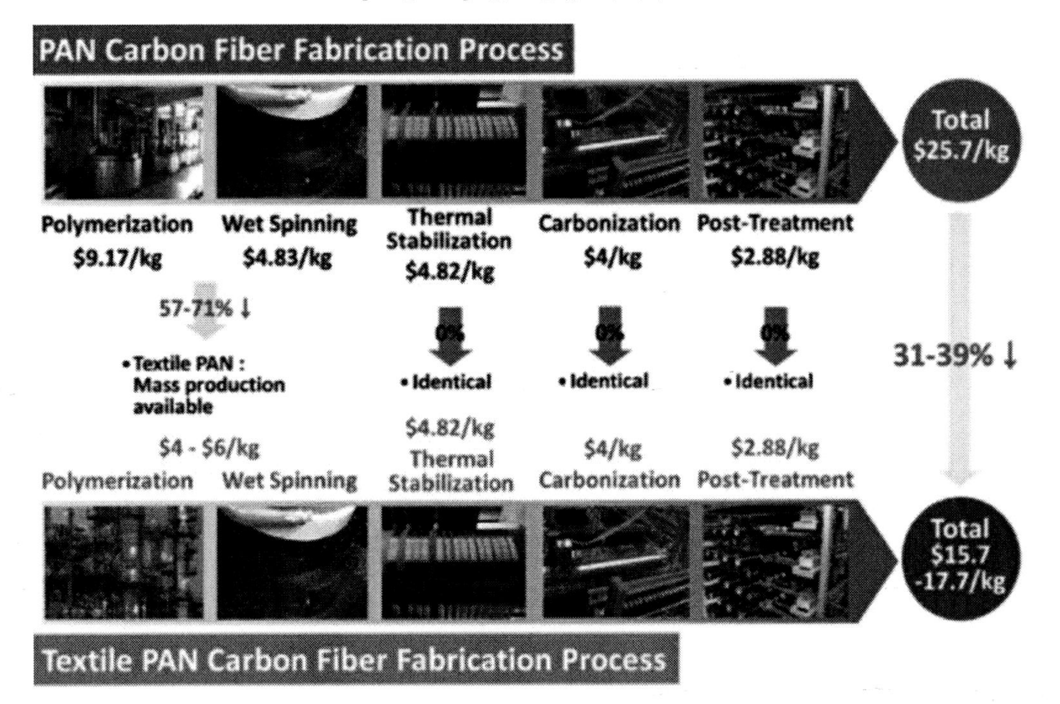

[그림 34] 의류용 PAN 섬유를 활용한 저가 탄소섬유 제조

- 대표적 탄소섬유 전구체인 PAN은 매우 독특한 구조를 지니고 있으며 안정화 공정을 통하여 고리화가 진행되는 고분자로 탄소섬유를 제조하는데 가장 좋은 물질이나 상대적으로 가격이 높아 전체 탄소섬유 생산비용에 30% 가량을 PAN 섬유 제조에 사용하고 있음
- 따라서 저렴한 전구체 고분자를 개발하는 연구가 일본, 미국, 유럽 등에서 진행되고 있으며 리그닌, 폴리에틸렌, 의류용 PAN, pitch 등의 저렴한 전구체를 활용하여 탄소섬유를 제조하고자 하는 연구들이 보고되고 있음

- 또한 일본의 Toray, Teijin, Mitsubishi 사는 각 기업의 의류용 아크릴 섬유 제조공법을 승계하여 저가형 프리커서 중합 및 방사 공정을 개발하였음
- 또 하나의 저가 탄소섬유 제조를 위한 연구 방향으로 공정비용 절감이 있는데 이는 고분자 섬유를 만드는 섬유 방사, 안정화, 그리고 탄화 공정 개선 등을 통하여 이루어지고 있음
- 섬유 방사 공정의 경우 PAN 섬유는 습식 공정을 통하여 제조되는데 선속이 최대 200 m/min으로 용융방사보다 10배가량 느리다는 단점이 있음

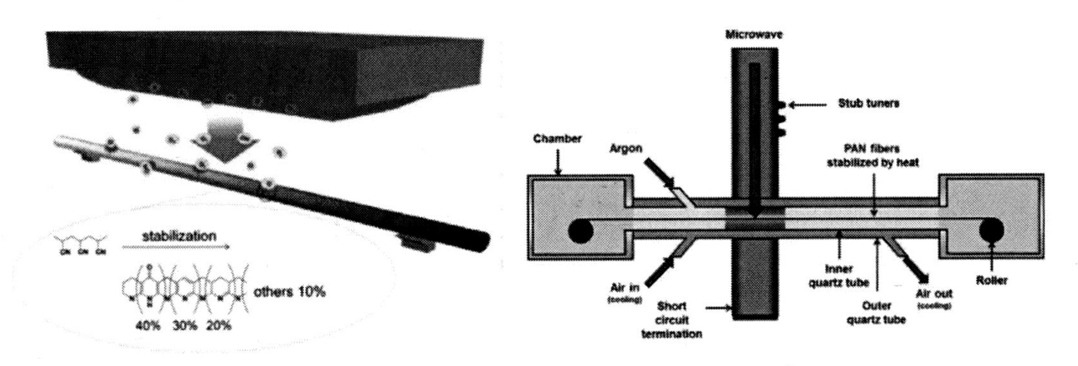

[그림 35] 플라즈마(좌)와 극초단파(우)를 이용한 안정화·탄화 공정 모식도

- 용융방사 공정을 도입하면 제조 비용을 절감할 수 있으나 PAN 섬유의 경우 녹기 전에 고리화가 일어나므로 용융방사가 불가능함
- 따라서 용융방사가 가능한 PAN 고분자 합성 또는 앞서 언급한 용융방사가 가능한 폴리에틸렌 등 고분자를 활용한 탄소섬유 제조기술 개발 연구가 진행 중임
- 방사된 PAN 섬유는 안정화 공정을 거치게 되는데 안정화 공정은 고리화, 탈수소화, 산화반응이 동시에 일어나는 복잡한 공정으로 탄화 공정 시 섬유가 불용화되기 위한 매우 중요한 공정임
- 안정화 공정은 공기 중에 온도를 최대 300℃까지 올리며 진행되는데, 공기 중의 산소를 섬유 안까지 확산시켜 화학반응을 발생시켜야 하므로, 1시간 이상의 시간이 소요되는 시간·에너지 소모가 큰 공정임
- 탄화 공정은 안정화 섬유를 탄소섬유로 전환하는 공정이며 최대 1500℃의 불활성 가스 분위기에서 처리해야 하므로 많은 에너지가 소모됨
- 따라서 안정화-탄화 공정의 시간 단축 및 에너지 저감을 위한 공정들에 관한 연구가 활발하게 진행되고 있음
- 미국 에너지부(DOE)의 오크리지 국립연구소(ORNL)는 Plasma 안정화 공정 기술개발로 원가의 50%를 절감시켰으며, Microwave and Low pressure plasma 탄화공정 기술개발로 원가의 25%를 절감하였음을 보고함
- 국내에서는 KIST에서 electron-beam 및 플라즈마 공정 도입을 통한 안정화-탄화 시간 및 비용 절감을 연구중임

다) 고성능 탄소섬유 기술개발 동향

- 탄소섬유는 금속이나 세라믹을 대체할 수 있는 경량 구조부품을 제공할 수 있어서 1970년대부터 항공·방산 산업에서 핵심 소재로 활용되고 있으며, 고성능 탄소섬유 제품의 경우 수출입이 통제되는 전략물자 소재 품목으로 원하는 시기에 필요한 물량을 확보하기 어려움이

있음
- 최근에는 고부가가치 산업인 항공·방산 산업에 적용되는 탄소섬유의 수요제기 사양이 강화됨에 따라 이를 만족시킬 수 있는 초고강도 및 초고탄성 탄소섬유에 관한 연구들이 활발히 진행되고 있음
- 탄소섬유의 대표적인 특성은 경량, 고강도, 그리고 고탄성률을 지니고 있다는 것이며, 이러한 우수한 기계적 물성은 탄소섬유의 미세구조에 기인하기 때문에 탄소섬유 미세구조 제어를 통한 물성 향상에 관한 연구가 탄소섬유 상용화와 그 역사를 같이하고 있음
- 또한, 탄소섬유의 미세구조는 제조공정과 밀접한 연관이 있으므로 기계적 물성은 공정 변수에 따라 좌우될 수 있음

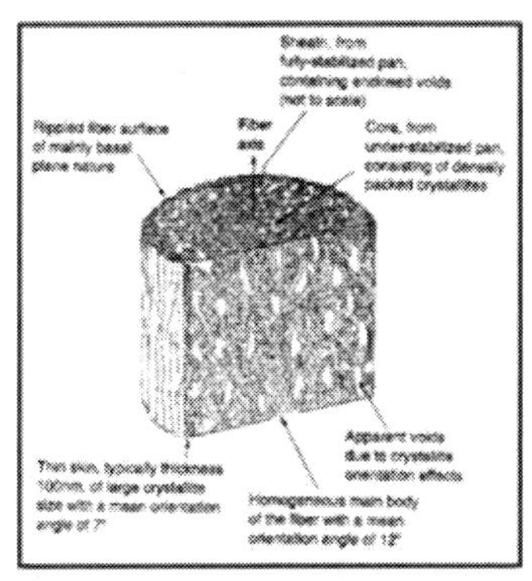

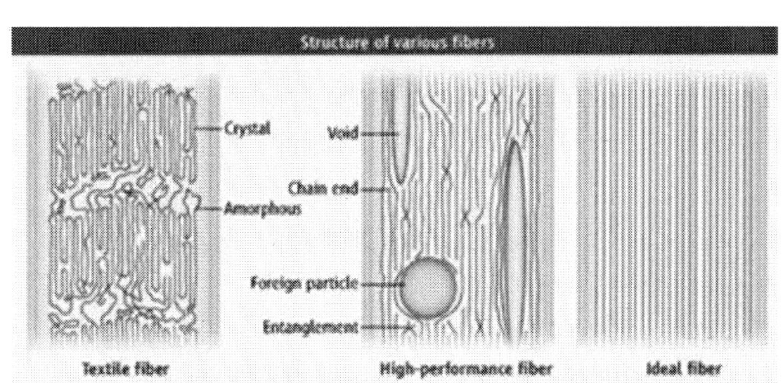

[그림 36] (좌) 일반적인 PAN계 탄소섬유의 미세 구조, (우) 고분자 섬유의 내부구조

- 따라서 재료연구에 기본이 되는 물성-구조-공정 상관관계 역시 탄소섬유 연구에 중요한 부분임
- 일반적으로 PAN계 탄소섬유는 습식방사 방식을 이용하여 프리커서 섬유를 제조한 후 안정화·탄화 공정 등의 열처리를 통하여 제조됨
- 안정화·탄화 공정 후에는 수율이 50~60% 수준이며, 이는 고분자 사슬이 열에 의해 절단되면서 HCN, CO2, CO, N2, H2O 등 가스 상태로 배출되기 때문임
- 따라서 안정화·탄화 중에 섬유의 가스가 배출된 자리에 미세 기공이 생길 수밖에 없는 구조적 한계를 가지고 있으며, 이러한 미세 기공은 탄소섬유의 인장 시 파괴가 시작되는 지점이 되어 기계적 물성 저하에 가장 큰 원인으로 알려져 있음
- 탄소섬유의 기계적 강도를 증가시키기 위하여 고전적으로 두 가지 방향으로 연구가 진행되어 왔음
- 첫째는 PAN 프리커서 섬유의 구조를 보다 치밀하게 하는 것으로 습식방사 시에 생길 수 있는 미세 가공 및 이물질 등을 없애며 비결정 구조를 최소화하고 결정구조의 함량을 최대로 유지하는 방법임
- 또한, PAN 고분자의 결정구조가 섬유 방향으로 잘 배향되어 있어야 높은 강도를 유지할 수 있음
- 이상적인 탄소섬유용 PAN 섬유의 구조는 기공 및 이물질이 전혀 없는 결정 구조가 섬유 방사 방향으로 배향되어 있는 상태이며, 이러한 이상적인 PAN 섬유가 제조되면 안정화·탄화를 거치면서도 높은 배향성을 갖는 탄소섬유 제조가 가능하게 됨
- 그러나 현실적으로 탄소섬유는 앞서 언급한 바와 같이 원천적으로 기공이 없는 완벽한 구조를 갖게 하기는 불가능함

- 따라서 탄소섬유의 기계적 강도를 증가시키는 두 번째 방법으로 표면의 거칠기 및 기공의 크기 및 양을 제어하는 방법들이 연구되어 왔음
- 표면의 거칠기 및 기공의 크기를 마이크론 사이즈에서 서브 마이크론 도는 나노 크기로 작아지면서 인장강도가 높아지는 경향을 보여주고 있음
- 탄소섬유의 중요 기계적 물성 중의 하나인 탄성률은 인장강도와는 다른 개념에서 탄소섬유 구조와 연관성이 있음
- 탄성률에 영향을 주는 가장 큰 인자는 탄소섬유 내부의 흑연구조로 흑연 결정구조의 크기에 따라 탄성률이 좌우됨
- 따라서 흑연 결정구조를 성장시켜 탄성률을 증가시키는 방법으로 실제 탄성률을 조절하여 왔음

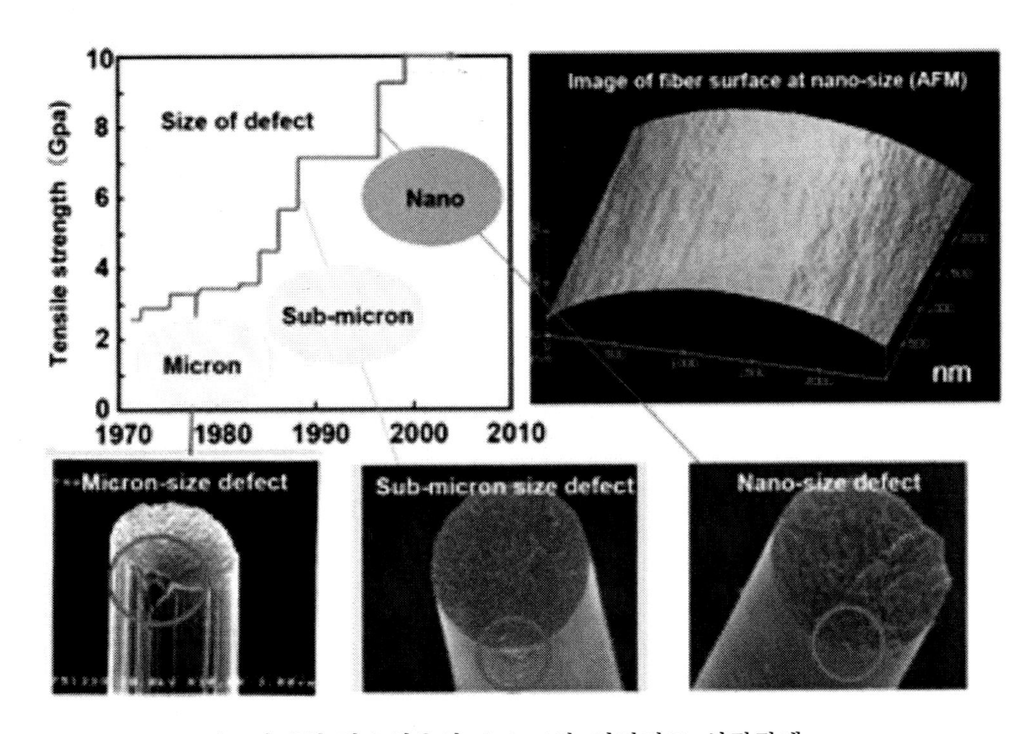

[그림 37] 탄소섬유의 defect와 인장강도 상관관계

- 또 하나의 중요한 인자는 흑연결정의 배향성으로 흑연결정이 섬유 방향으로 잘 배향되어 있으면 높은 탄성률을 갖는 탄소섬유 제조가 가능함
- 흑연결정의 배향성은 탄성률뿐만이 아니라 인장강도와도 깊은 관계가 있어 앞서 언급한 PAN 섬유의 분자 배향성과와 같이 흑연 결정의 배형성 향상이 인장강도 향상 결과를 가져옴
- 아래 그림은 흑연 결정구조의 발달과 배향성에 따른 탄성률 변화와 상관관계를 나타내고 있음

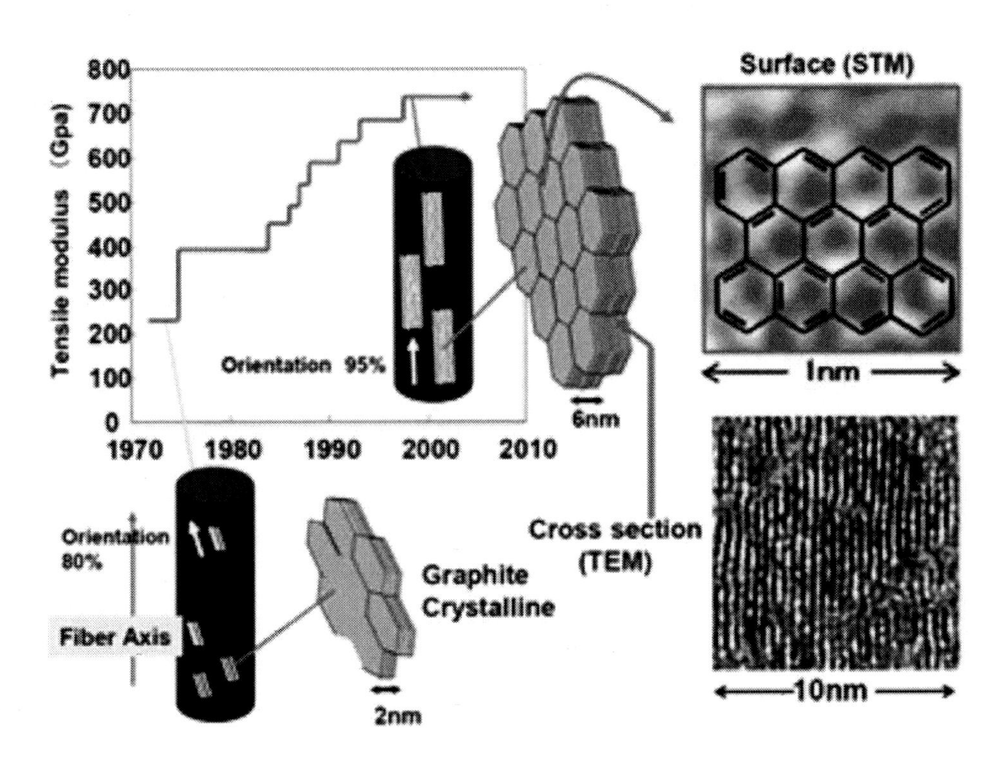

[그림 38] 탄소섬유의 흑연결정구조와 탄성률 상관관계

- 지금까지 서술한 봐와 같이 탄소섬유의 기계적 물성은 탄소섬유의 기공 및 defect의 크기/양과 흑연 결정구조의 발달정도, 크기와 배향성 등 탄소섬유 구조 중 물리적 구조에 초점을 맞추어 연구가 진행되고 있음

2) DINAMIT

2004년부터 3개년 계획으로 EADS CRC(EADS Corporate Research Center)을 중심으로 13기관이 참여, 기간 2004년 2월1일부터 2007년 4월 30일까지 39개월, 예산 3.6 Million Euro로 DINAMIT(Development and Innovation for Advanced Manufacturing of Thermoplastics)프로젝트가 실시되었다.

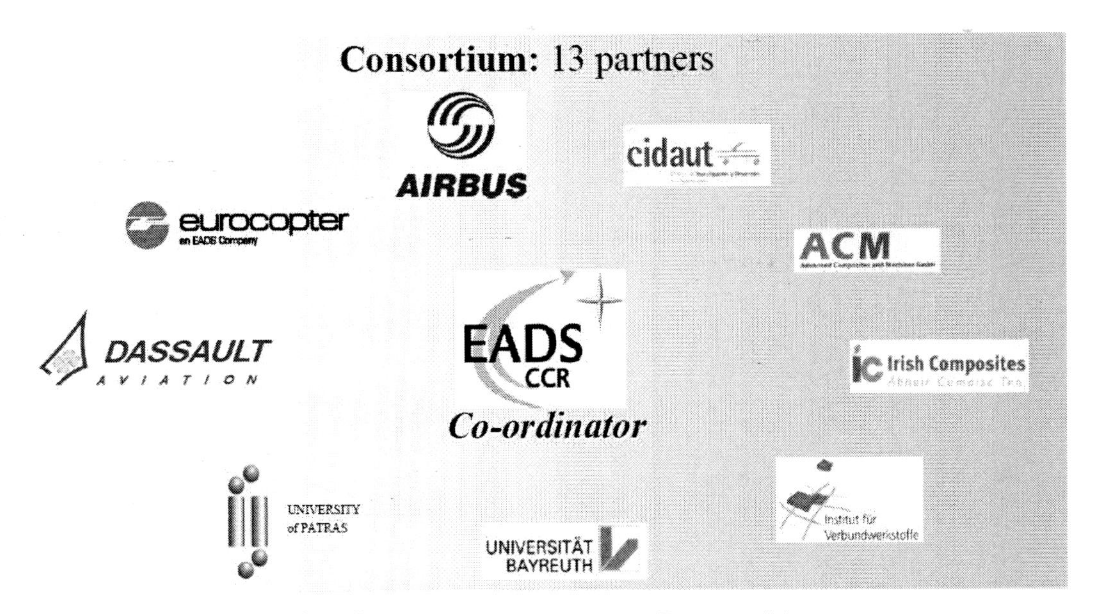

[그림 39] DINAMIT Consortium Partnership

이 프로젝트는 항공기 구조 부재용 열 가소성 수지 복합 재료의 수준 향상 도모와 군용과 민수를 포함한 미래의 항공기 또는 헬리콥터의 동체구조에 적용하기 위해 수행되었다.

DINAMIT(Development and INnovation for Advanced Manufacturing of Thermoplastics) 프로그램의 최종목표는 항공기 및 헬리콥터 구조에 고성능의 열가소성 복합재의 광범위한 사용을 발전시키기 위함으로 다음 4가지 과제에 집중연구가 이루어졌다.

① 고가소재비용의 절감

② 조합된 성형 콘솔리데이션(forming-consolidation) 비용 절감

③ 구조조립을 위한 빠르고 유연한 저가공정개발

④ 스크랩 절감

상기 세부목표를 구현하기 위한 세부적인 연구 내용을 살펴보면 다음과 같다.

① 항공기 구조부품에 적용할 저가고성능 열가소성복합재 개발(low cost high performance thermoplastic composite)

- 열가소성구조(thermoplastic structural)의 메트릭스 배합
- 새롭게 개발된 열가소성 수지 : PEKK
- 다축 열가소성 패브릭

② 새로운 성형 콘솔리데이션(forming-consolidation) 공정의 개발

- 열가소성 이중곡면구조(double curvature structure) 오븐성형의 고속자동적층(automated lay up)공정 평가
- 이중곡면의 대형구조물의 정교한 제작을 위한 새로운 진공격막성형(vacuum diaphragm forming)기술 평가
- 부구조물을 위한 고성능 열가소성 복합재 부품의 정교한 제작을 위한 저압사출(low pressure injection)공정 평가
- 부구조물 적용을 위한 열가소성 연속성형(continuous forming)과 롤성형(roll forming) 개선

③ 새로운 용착공정(welding process) 개발

- 인시츄 콘솔리데이션(in-situ consolidation)과 동시 융착(in-situ welding process)의 일체형 공정 평가
- 고성능 열가소성 복합재 구성품의 레이져융착(laser welding) 조립의 타당성 연구

④ 최적의 비용예측 및 비용효율분석 개발

가) 세부연구결과

(1) 항공기 구조무품에 적용할 저가고성능 열가소성 복합재 개발(low cost high performance thermoplastic composite)

① 배합기반의 소재개발

항공기 적용을 위한 저가 고기능 열가소성 복합재 개발은 2종의 PEEK(Polyether ether ketone)/PEI(Polyetherimide)를 87:13 무게비로 배합한 것과 PES(Polyethersulfone)를 추가하여 3종의 PEEK/PEI/PES를 60:9:31 무게비로 배합한 새로운 열가소성수지를 프리프레그를 제작 연구하였다.

결과를 살펴보면, PES를 첨가하면 취성(brittleness)이 증가하나 매체저항은 감소하고 소재비용은 낮아진다. 3종은 온도 180 ℃의 PEEK와 비교해 고 강직성(stiffness)과 고 강도(strength), 매체저항(media resistance)은 양호한 고성능을 보이나, 인성은 감소한다.

아울러 배합은 crack, void, inclusion(불순물)에 민감하다. 아울러 배합시 큰 PEEK 입자크기로 UD Tape을 제작에 어려움이 있고 프랙토그래프(fractography) 해석에서 레진함침의 불량을 확인하였으나, 경화된 TAPE의 coupon 시험을 통한 층간전단강도와 인장시험결과는 요구규격에 근접하였다.

이와 별개의 5매 주자(5 satine weave)의 2종 배합 열가소성 패브릭(PORCHER사)은 기존 PEEK/Carbon 기준과 비교하여 DSC의 Tg(유리전이온도)와 기계적·열적 시험(굴곡 및 층간전단강도)의 우수한 결과를 보였으나, PEEK 레진의 높은 양으로 성형온도는 300℃ 떨어지지 않았다.

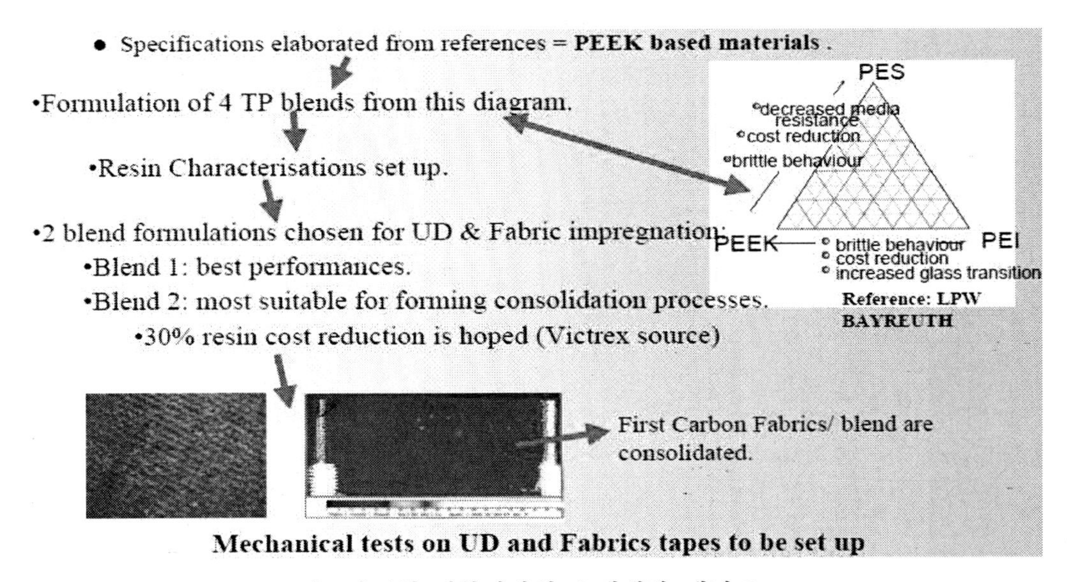

[그림 40] 배합기반의 소재개발 개념도

② **새로운 다축 열가소성 패브릭 개발**

NCF(Non Crimped Fiber)와 PEEK powder 적층, PEEK/Carbon 합사, PEEK 모직(fleece)와 PEEK powder 분산 적층 제작하여 경화 후 성형성(formability)과 기계적 시험(인장시험, open hole 인장시험, 압축시험, open hole/filled hole 압축시험 등)등을 실시, HEXCEL(towflex)가 가장 우수한 인장 물성을 보였으나, 성형을 위한 drape ability (유연한 굴곡)은 낮았다. 아울러 압축거동의 최적화는 합사(commingled)의 방법이 최적화의 결과를 얻었다.

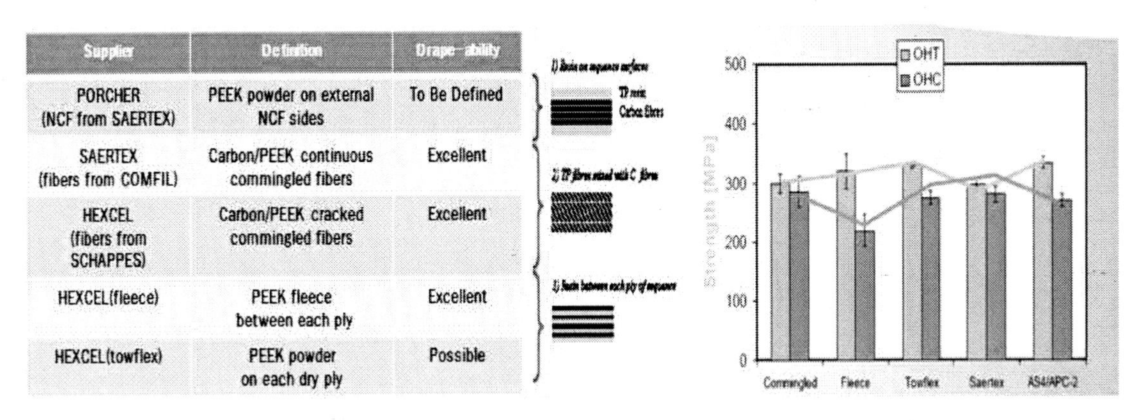

Supplier	Definition	Drape-ability
PORCHER (NCF from SAERTEX)	PEEK powder on external NCF sides	To Be Defined
SAERTEX (fibers from COMFIL)	Carbon/PEEK continuous commingled fibers	Excellent
HEXCEL (fibers from SCHAPPES)	Carbon/PEEK cracked commingled fibers	Excellent
HEXCEL(fleece)	PEEK fleece between each ply	Excellent
HEXCEL(towflex)	PEEK powder on each dry ply	Possible

[그림 41] 다축 패브릭 제조에 따른 기계적 특성 및 제조성

새롭게 개발된 열가소성 수지 PEKK(PolyEtherKetonKeton)는 열가소성 복합재 프리프레그에 사용되는 새로운 수지 폴리머로 PEEK의 성능과 PPS(Polyphenylene sulfide)가격의 장점을 취한 대체 소재로, PEEK와 경쟁할 배합(2중, 3중) 열가소성수지와 더불어 개발되었다.

PEEK 대비 낮은 가격과 성형온도가 30~40℃ 낮다. 프레스와 오토클레브 공정으로 제작된 PEKK/Carbon 패널(Eire Composites)의 기계적 시험 결과를 살펴보면 다음과 같다.

- 모든 조건에서 프레스 상형 시편의 인장강도가 오토클레브 공정 시편보다 높았으며, 두 공정의 결과는 예상보다 높았다.
- 모든 조건과 동일 두께에서 압축강도(OHC 포함)는 프레스공정과 오토클레브공정의 결과가 유사했으며, 두 공정의 결과는 예상보다 높았다.
- 충격후 압축강도(CAI:Compression after Impact)는 프레스 공정보다 오토클레브 공정이 높았다.
- 면간전단강도(In-plane shear strength)는 프레스공정 보다 오토클레브 공정이 약간 높았다

또한 PEEK/Carbon(AS4)(Carbon Fiber 35%, GURIT사), 1 inch Tape가 개발되어 자동적층장치(automated tape lay down)공정에 사용되어 인시츄 콘솔리데이션(In-situ consolidation) ATP와 Post-consolidation 오토클레브 공정을 통한 시험검증을 시행하여 항공용 적용성을 확인하였다.

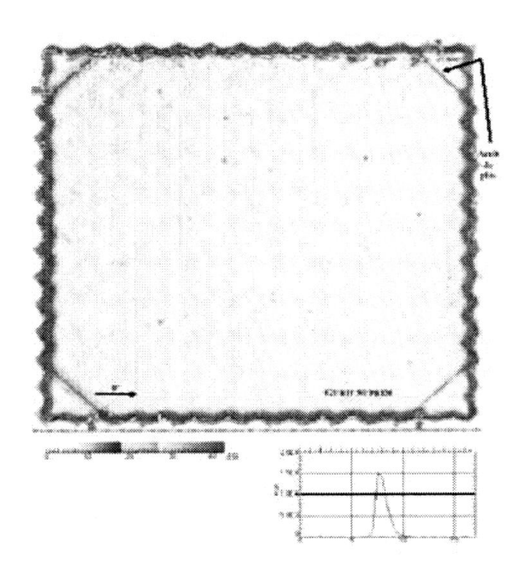

[그림 42] 새로운 PEEK/Carbon(AS4) tape를 이용한 In-Situ Consolidation ATP과 ATP+Autoclave consolidation (ref : Dassault Av.)

(2) 새로운 성형 콘솔리데이션(forming-consolidation) 공정 개발

열가소성 이중 곡면 구조(double curvature structure) 오븐성형의 고속자동적층(automated lay up)공정, 이중 곡면의 대형구조물의 정교한 제작을 위한 새로운 진공격막성형(vacuum diaphragm forming)기술, 부구조물을 위한 고성능 열가소성 복합재 부품의 정교한 제작을 위한 저압사출(low pressure injection) 공정 등 개발 및 평가와 더불어 부구조물 적용을 위한 열가소성 연속성형(continuous forming)과 롤 성형(roll forming) 개선연구로 결과는 다음과 같다.

① 자동 열가소성 Tape 적층기술

상온에서 열가소성수지 tape의 점도가 결여로 인한 이중 곡면 tool의 첫 적층(first ply)의 점착성(sticking) 문제 해결 기술개발로 접착제기술로 PEI(Polyetherimide) spray에 의해 함침된 Peel Ply(glass fabric등)를 tool위에 적층하고, 일차 적층(first ply)을 위해 특별히 제작된 PEI 필림이 접착된 PEEK/Carbon tape를 적층하는 것으로 오토클레브의 post-consolidation을 행하는 고속 lay down 공정에 적용가능하나, 저속의 lay down 인시츄 콘솔리데이션(In-situ consolidation)에는 적절하지 않다.

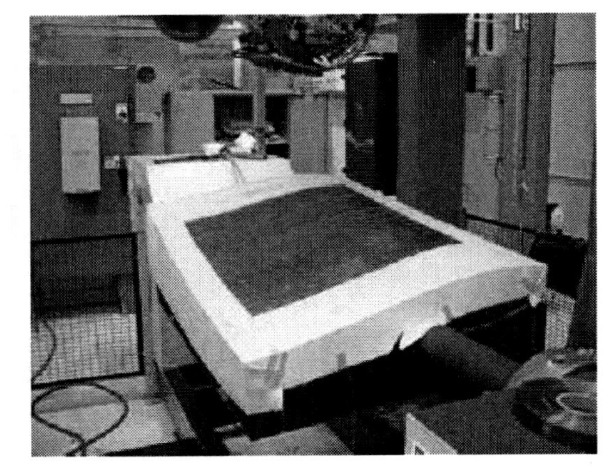

[그림 43] Glass fabric+ adhesive on tooling 및 PEEK/Carbon tape + adhesive

진공기술(vacuum technique)은 tool의 표면에 진공 홀을 만들어 진공흡입 할 수 있는 특별한 tool을 제작하여 일차 적층(first ply)은 수작업으로 진행한 후 모든 자동적층공정에서 진공흡입을 통한 공정을 진행한다.

[그림 44] 특별히 제작된 표면진공홀을 가진 이중곡면 tool과 first ply 진공흡착상태

열가소성 이중 곡면 구조(double curvature structure) 오븐 성형의 고속 자동 적층(automated lay up) 공정의 공정 윈도우(process window, 최대 head speed, 압력, 온도 등) 확립과 자동적층 변수 (consolidation force, 공정속도, hot gas/flame/infrared heater 등) 최적의 조건 도출 및 이중 곡면 판낼을 개발하였다.

ATL, 1 inch APC2/AS4 Tape 사용
최대속도 head 이동 적층

Consolidation into oven

성형된 APC2/AS4 Panel

[그림 45] 이중곡면 오븐 성형 자동적층 panel 개발

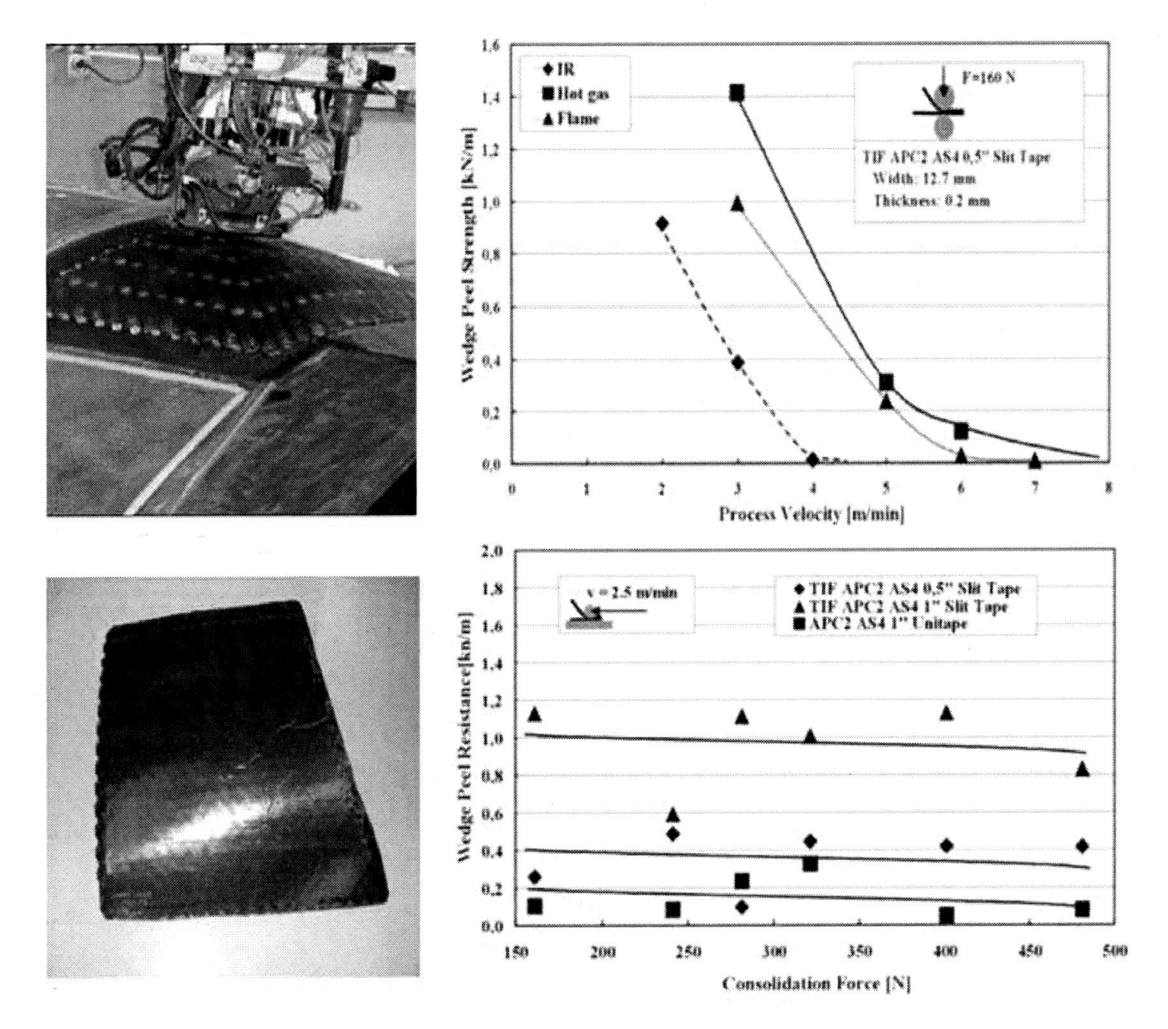

[그림 46] 자동적층 변수(parameters) 영향 연구결과

② 이중곡면의 대형구조물의 정교한 제작을 위한 새로운 진공격막성형(vacuum diaphragm forming)기술과 관련된 적외선(infrared) 가열 연구

혁신적인 진공격막성형과 공정 중 몰드와 덮개(heat blanket)의 최적의 가열을 위한 적외선 가열 모델링에 대한 많은 연구들이 수행되고 있다.

깊은 곡면의 열가소성 캐노피(canopy)를 4매 주자 Carbon/PPS 패브릭(380 gsm)을 이용하여 고온 실리콘 맴브레인(silicone membrane) 격막진공성형으로 설계 및 제작하여 공정 윈도우(시간, 온도, 진공, 압력 등)를 설정 연구하였다.

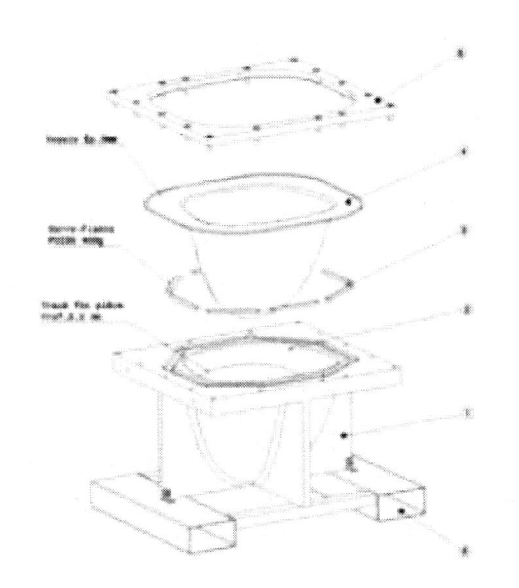

[그림 47] Eurocopter PPS/Carbon Canopy 격막성형기술 개념도와 시제품

적외선 가열 모델링은 캐노피 격막성형공정을 통해 설정되었으며, 최적의 몰드 온도는 열적·기계적 해석을 통해 수행되었다. 아울러 열 해석은 다양한 변수 (IR 램프 power, IR 램프 pitch, 플래트와 IR 램프 거리, IR 램프수) 그리고 플래트 두께에 따라 수행되어 최적의 조건이 제시되었다.

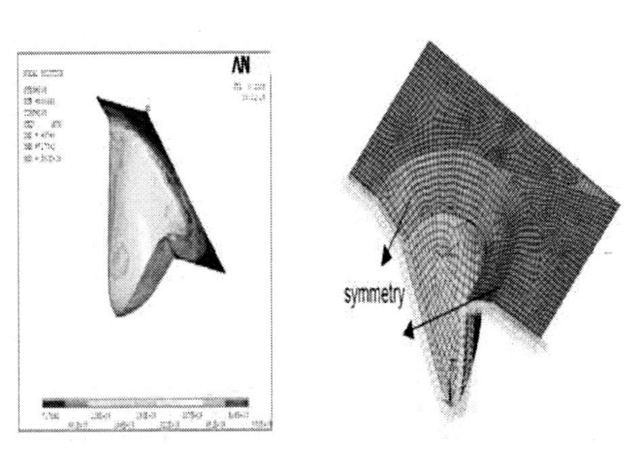

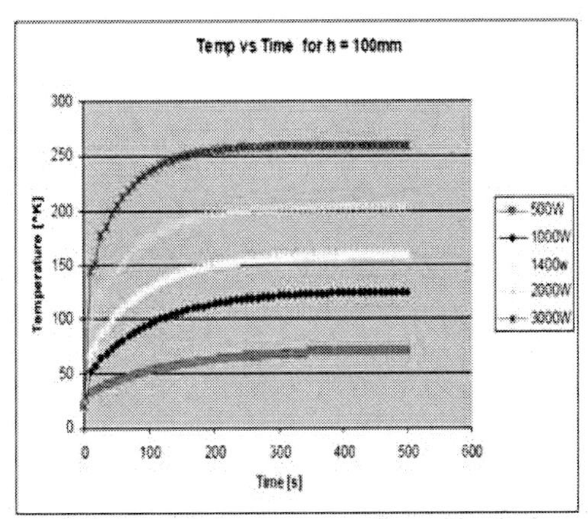

Strain distribution and forming model **Influence of the lamp power on the heating time**

[그림 48] 적외선가열 모델링 및 변수 영향

③ 열경화성 RTM 공정을 대체할 경제성 있는 저압사출(low pressure injection)공정 등 개발과 이중곡면 열가소성 부품의 비용 효율적 (cost effective) 연속성형(continuous forming)과 롤성형(roll forming) 개발

사출몰딩(injection molding)은 열가소성 하부구조물의 제작을 위해 개발되었으며, 고성능 열가소성 스킨(skin)에 쉽게 융착될 수 있는 복잡한 기하학 복합재 부품의 제조로 그 원리는 5매 주자 패브릭(5 satin fabric)에 저압으로 PPS 레진(점도가 높은 100 Pa.s)을 직접사출방식으로 공정온도 300 ℃ 이상, 제한적 압력(max 20 bars)으로 PPS/Carbon 4 mm 두께 라미네이트를 제작하였다.

콘솔리데이션(consolidation) 후 섬유와 레진의 결합이 양호한 3% 이하 porosity와 다소 약간의 microcrack(PPS/Carbon 구조의 중요한 문제)을 포함한 라미네이트를 제작함으로서 항공기 열가소성 복합재 프래임(frame)과 스티링거(stringer) 제작개발의 혁신적인 기술로 적용성을 예측하게 되었다. 아울러 열가소성 RTM 공정이 연구개발 되었으나 고온에서 PPS 산화문제가 발생되는 현상을 파악되는 수준으로 개발이 진행완료 되었다.

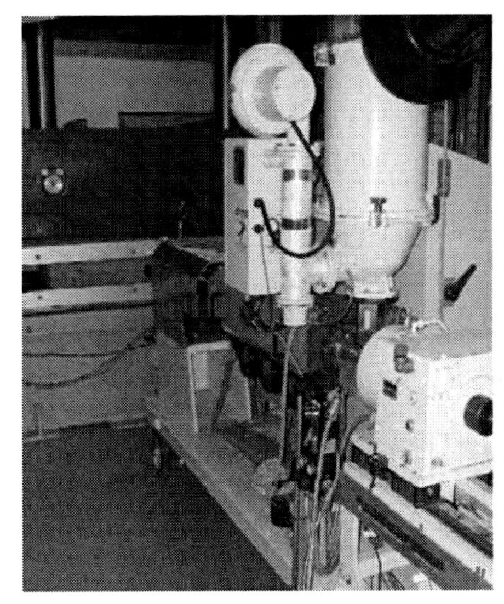

[그림 49] 사출장치 및 PPS/Carbon 사출 라미네이트

연속압축몰딩(continuous compression moulding)기술은 준 함침(semi finished)된 열가소성소재를 몰드에서 가열, 가압, 냉각을 통해 제작하는 것으로서 열가소성 3D 굴곡의 프로파일 제조를 위한 최적화 공정으로 PEEK/Carbon(APC2/AS4) Z Stringer 제작하였다.

[그림 50] Continuous Forming Machine과 APC2/AS4 Z contoured stringer

롤 성형(Roll forming) 기술은 기존의 열경화성 롤 성형장비에 선 열처리(preheating) 380 ℃ 위한 IR 램프 부착, 절연시스템과 열 저항 롤러를 채택 개발하였으며 제조가능 열가소성부품의 길이는 2 m, 성형속도는 1~4m/min.로 시제품 제조와 시험은 연구기관 내 이루어지지 않았다.

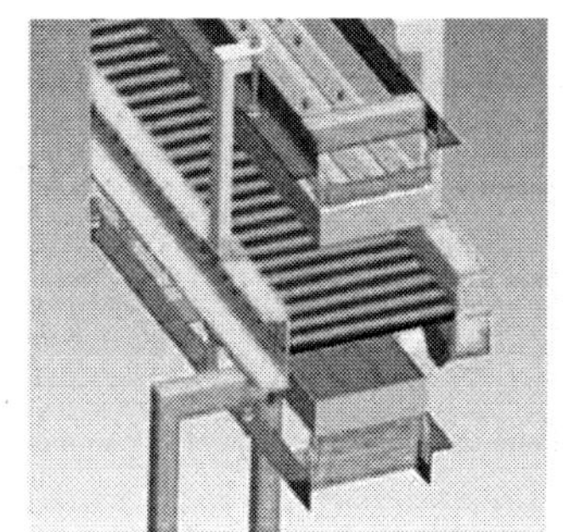

Roll forming machine

Infrared preheating system

[그림 51] 열가소성 Roll Forming device 설계 및 Roll Forming Machine

PEKK/Carbon(AS4) rib(4.48 mm 두께 : 32 plies)에 열가소성 롤 성형 stiffener가 용착한 제품을 개발하여 프레스 성형(press forming)이 오토클레이브 성형보다 우수한 기계적 특성 보였으며, rib의 feet는 back to back L-section(몰드 탈착 후 두 개의 L-section을 상호 뒤로 하여 adhesive 3M 9232 B/A로 본딩)사용한 오토클레이브 성형으로 제작하였다.

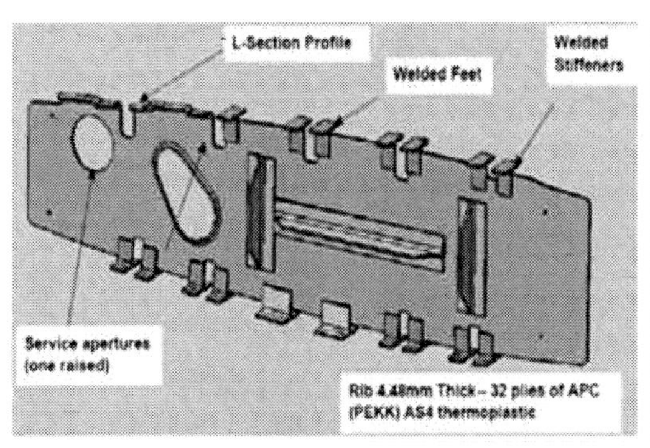

[그림 52] Stiffened Carbon/PEKK(AS4) rib design 및 consolidated PEKK/AS4 rib & feet

(3) 새로운 용착공정(welding process) 개발

열가소성 라미네이트의 레이저(laser) 융착 연구, 접착 필름(adhesive film) 본딩 전 레이저(laser)를 이용한 열경화성 및 열가소성 라미네이트 표면처리, 열가소성 PEEK 라미네이트 조립을 위한 PEI(Polyetherinide) 필름(film) 적용을 통한 비용 효율적 용착기술 연구로 그 결과는 다음과 같다.

① 레이저 융착(Laser welding)기술

고정변수 제어성과 용접을 위해 모재에 다른 소재가 필요하지 않으며, 먼 거리 레이저 운용과 가열집중이 뛰어나 열 영향 영역(heat affected zone)이 작은 장점을 가지고 있다. 본 연구에서는 상판(top laminate)의 레이저 조사파장으로 부문적으로 흡수 및 반-흡수 상태로 하판(bottom laminate)에 흡수되어 경계면이 용융과 융착이 일어난다.

PEI, PPS, PEEK, PEKK의 열가소성 수지의 연속 유리섬유 및 탄소섬유 일방향(unidirectional) Tape와 직조 패브릭의 레이저 용접(CO2, Nd:YAG, diode)을 연구하였다. 그 중 PEI가 diode laser 940 nm 파장(wavelength)에서 부분적으로 레이저조사에 흡수되므로 모재위에 흡수재로 검은 페인트 또는 틈새가 있은 카본블랙 함침 PEI 필름 위치시키고 사용한 PEI/Glass 상판과 PEEK/Carbon 하판 라미네이트는 우수한 용접성을 보였다. 반면 PPS/Glass는 레이저조사를 흡수하여 융착전 레이저가 조사되는 표면에서 폴리머의 저하와 레진이 타는(burn-off) 현상의 나타났다.

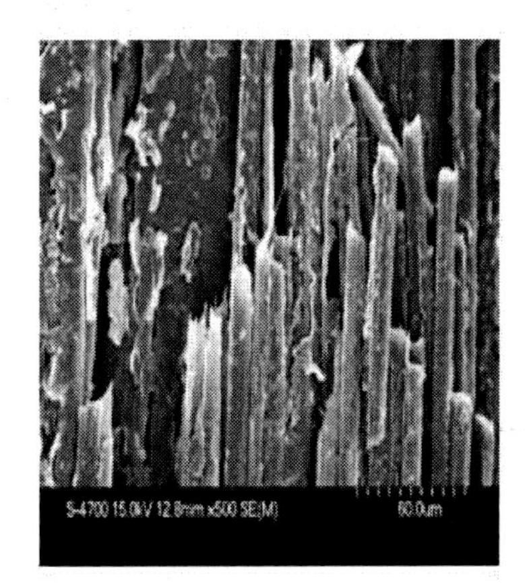
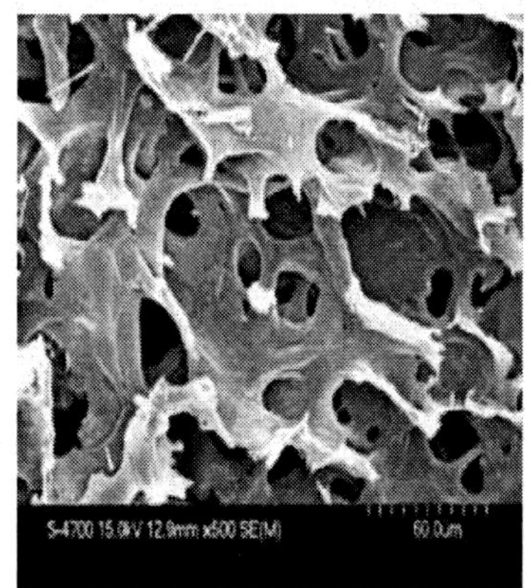
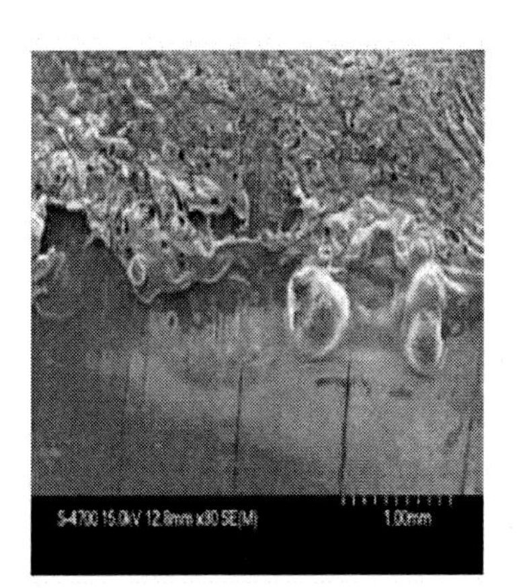

[그림 53] 레이저에 의해 손상된 표면에서의 PPS/Carbon의 형태

탄소섬유 라미네이트의 레이저용접은 탄소섬유의 고유한 레이저 흡수성으로 매우 어렵다. 대부분의 레이저에너지는 레이저에 의해 직접적인 지장을 주어 과열 및 레진과 섬유의 성능저하를 일으킨다.

상판(top laminate)이 매우 얇고(0.5 mm 이하) 레이저용접의 변수(laser power, 헤드속도)가 최적화될 때 융착이 잘 이루어진다. 따라서 전형적인 항공기 프레임(airframe)의 용착에는 적용이 어려우나, 0.1~0.3mm 두께의 전형적인 탄소 섬유 라미네이트 적층을 위한 자동 인시츄 콘솔리데이션(automated in-situ consolidation)공정의 레이저 적용은 용이하다.

본딩 전 레이저 표면처리기술은 열경화성 및 열가소성 복합재 라미네이트의 열경화성 접착필림(adhesive film) 본딩 전에 수작업 샌딩을 통한 표면처리를 하는 것이 일반적이다. 열경화성 복합재의 경우 180 ℃이상에서 레진과 섬유의 성능저하가 일어나기 때문에 레이저 표면처리는 적철치 않으며, 열가소성 복합재의 경우 Nd:YAG와 diode 레이저를 사용한 본딩 전 표면 처리는 diode 레이저에 의한 표면처리 후 본딩력이 우수한 결과를 보였다.

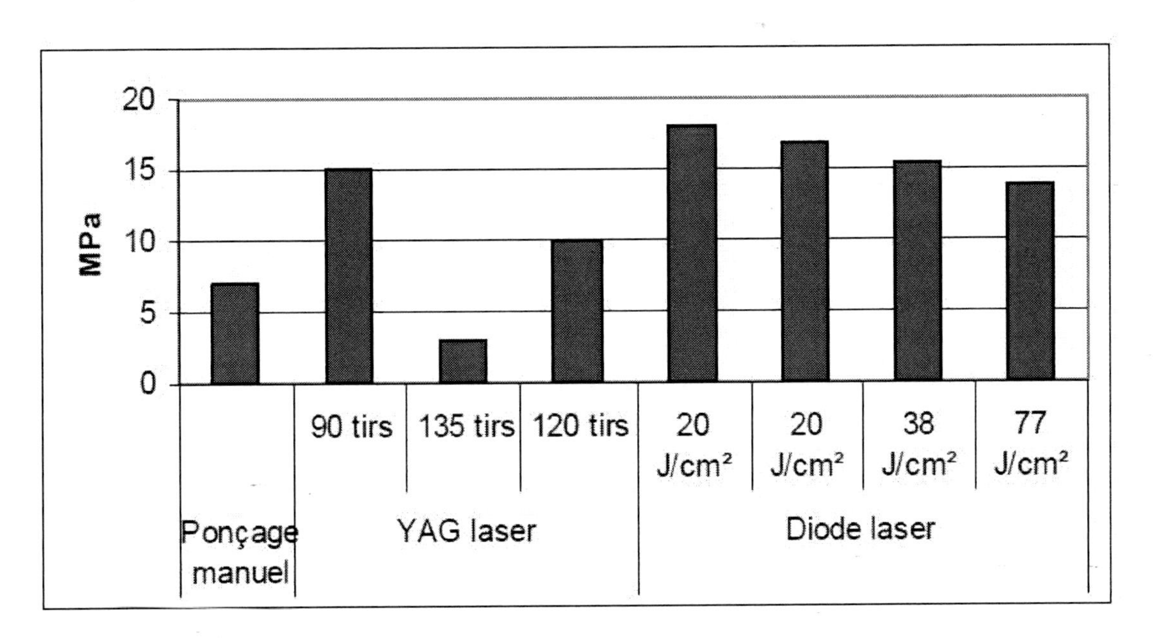

[그림 54] PEEK/PEEK adhesive joint 본딩의 Single lap shear 강도결과 : 수작업 샌딩, YAG Laser, diode Laser 표면처리

② 비용효율적 PEI 융착 공정 개발

고온성형의 PEEK 베이스 복합재(400 ℃)의 융착은 고온의 부자재와 오코클래브 등 사용에 따른 에너지 소모적으로 비용이 비싸다. 그러나 PEEK/Carbon 부품 간 경계면에 PEI film을 사용하면 융착온도를 300℃로 낮출수 있다. 혁신적인 실리콘 맴브레인(silicone membrane : 압력분포 균일)과 특수한 카본폼 블록(carbon foam block: 고정 tool), PEI film을 사용하여 PEEK/Carbon stiffener를 PEEK/Carbon skin(외판)에 융착하는 공정을 개발하였다.

[그림 55] PEEK/Carbon(APC2/AS4) panel stiffened with PEI welding of stiffeners to skin

(4) 최적의 비용예측 및 비용효율분석 개발

이를 통해 10개의 공정이 개발되었으며, 비용 해석 단계는 아래와 같다.

- 별개의 엑셀 시트에 각각 공정별 부공정을 분할시킨다
- 각 부공정의 이름과 파생된 비용평가관계 (CER: Cost Estimation Relationship) 도출한다
- 발생비용 값(cost drivers value) 도출과 동시에 부공정 비용을 계산한다.
- 비용데이터, 공정데이터, 부품 데이터에 발생비용을 분할시킨다.
- 부공정비용 대비 발생비용 변화를 그래프로 추출한다.
- 공정비용(Ktotal)과 공정시간의 합한다.
- 만약 실험적 데이터가 유효하며, 실제 비용평가관계(CER)와 정확성을 위해 회귀분석이 사용된다.
- 만약 실험적 데이터가 유효하지 않다면, 요구되는 데이터 계산을 위해 중요한 부공정의 이론적해석이 사용되어지고, 다음으로 비용평가관계(CER)를 만들어낸다.
- 동일공정의 다른 버전(version)이 존재한다면, 비교를 위해 각각 버전을 위해 다른 분석이 수행된다.

개발된 비용해석 툴의 각각의 버전에는 다음과 같으며, 각각 비용해석 툴은 최적화 전에 해석을 위해 엑셀 파일로 보내진다. 앞에 언급된 비용해석공정은 비용과 공정 변수측면의 최적화는 해석 소프트웨어(LCAT)를 사용하였다.

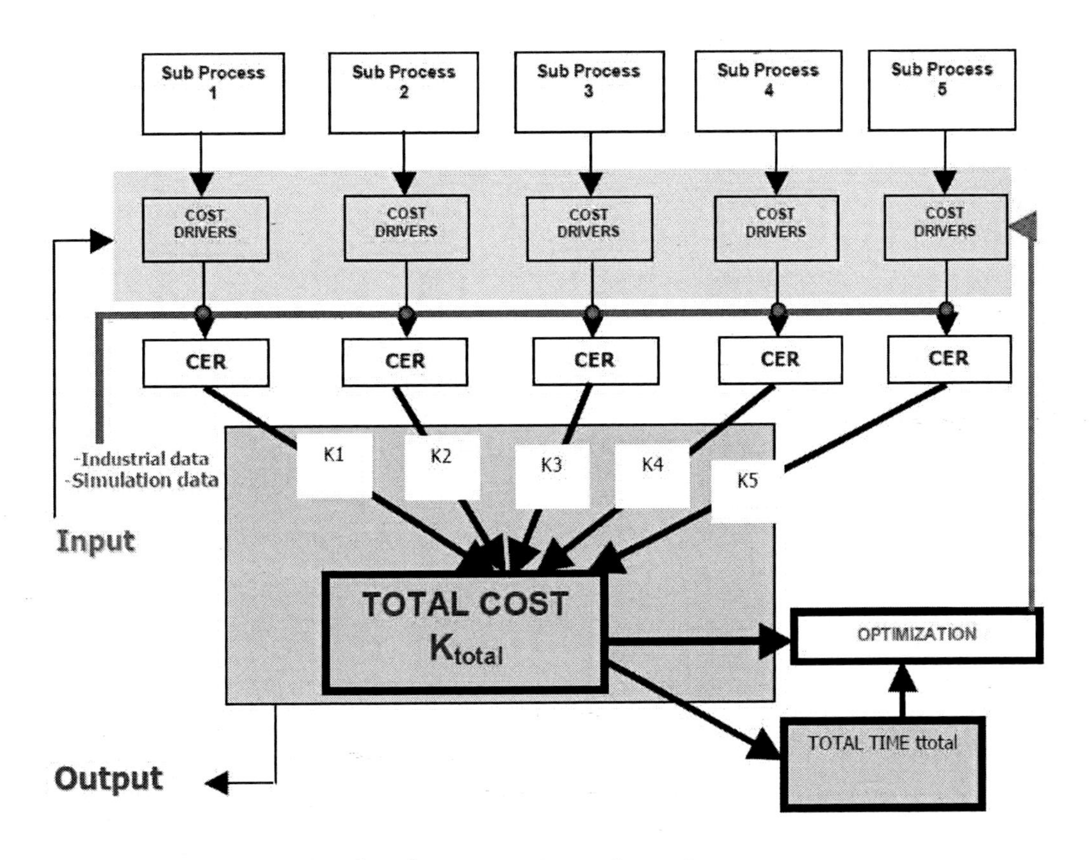

[그림 56] cost analysis flow chart

Part Data	PAA [m^2]	Part area (mold side)
	WP [kg]	Weight of part
	NPL [/]	Number of plies
	PAP [m]	Perimeter of part
	$THPL$[m]	Thickness of each ply
	APL[m^2]	Area of each ply
	cmp	Complexity
	PPA[m^2]	Part projected area (in contact with the mold)
	ρ[kgr/m^3]	Prepreg mass density
Process Data	Ncl [/]	Number of clamps
	NH [/]	Number of heating elements
	D [m]	Distance between the material and the lamps
	Nd [/]	Number of diaphragms
	P_L [W]	Power of each lamp
	Npc[/]	Number of pieces produced per year
	Lf[years]	Estimated life of equipment
	Nm[/]	Number of maintenances
Cost Data	k_{pr} (euro/kgr)	Cost of the prepreg per kgr
	k_d (Euro/m^2)	Cost of the diaphragm per m^2
	k_a (Euro/kgr)	Cost of the releasing agent per kgr
	k_w (euro/hour)	Cost of the specialized worker per hour
	k_{ed} (euro/hour)	Cost of one infrared lamp switched on per hour
	K_{vac} (euro)	Vacuum pump cost
	Equipment cost	
	Maintenance cost	

Diaphragm Forming Part, Process and Cost Data

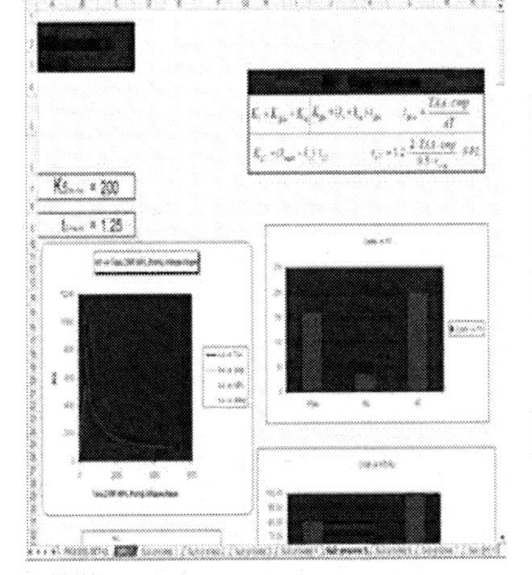

High Speed Lay-up process cost analysis ,sub-process 5 cost estimation

Process Data		
	Ncl [/]	10
	NH [/]	100
	D [m]	0.05
	Nd [/]	1
	P_L [W]	800
	Npc[/]	200
	Lf[years]	15
	Nm[/]	600

Optimal DF Process parameter combination

[그림 57] 격막성형(Diaphragm Forming) 비용 예측 개발 tool (LCAT)의 각 버전 예시

DINAMIT (Development and INnovation for Advanced Manufacturing of Thermoplastics) 프로그램을 통해 개발된 기술을 요약하면 다음과 같다.

Exploitable Knowledge (description)	Exploitable product(s) or measure(s)	Sector(s) of application	Timetable for commercial use	Patents or other IPR protection	Owner & Other Partner(s) involved
Vacuum technique for first TP ply deposition	Process Principle	1. Aerospace. 2. Automotive	Not applicable today	Extension of an existing protection	EADS/CCR (owner) AIRBUS FRANCE
Development of new Multiaxial Fabrics with TP resin	Materials samples	Aeronautical Primary or secondary aircraft structures (fuselage application)	2007	To be considered	Suppliers selected by AIRBUS FRANCE · Hexcel, · Saertex, · Porcher, · Schappes, · Comfils
First thermoplastic ply deposition technic for complex shape part.	Manufacturing process	1.aeronautic industry (aircraft structures) 2.oil and gas industry 3.cars, sport and leisure industry	2006 2007	A process patent could be planned for 2005,2006	Dassault-Aviation
Heat transfer analysis	Process model	Thermoplastics production industries	-	To be considered	LTSM
New thermoplastic resin for CFRP	Blend materials (PEEK-PEI -PES Blends)	1. Aeronautical 2. Automotive 3. High perfomance polymers in technical parts	2009-2012	A specific materials patent additional to existing patent could be discussed.	Victrex (owner) LPW BAYREUTH
Continuous compression moulding technique	Technique to produce profiles like stringers for aircrafts in continuous way	1. Aircraft 2. Industrial 3. Automotive	2006 / 2007	The process is already patented but not yet industrialised	Profiltechnik GbR (owner) Licences will be awarded

[표 10] DINAMIT 프로그램 개발기술 및 내용 요약

Exploitable Knowledge (description)	Exploitable product(s) or measure(s)	Sector(s) of application	Timetable for commercial use	Patents or other IPR protection	Owner & Other Partner(s) involved
Process cost analysis	Cost Analysis Software tool	Thermoplastics production industries	2008-2010	Patent Under Consideration	LTSM
Heat transfer analysis	Process model	Thermoplastics production Industries	2008-2010	Under Consideration	LTSM
TP RTM process	Manufacturing process	Aerospace automotive	2009-2010	Patent planned (2007)	EADS Innovation Works
Characterisation of manufacturing properties of CF/PEKK through comparison of autoclave versus press forming processing techniques.	Design data for CF/PEKK for autoclave and press forming methods. Quantitative data for angular and thickness dimensional variability.	High performance applications such as aerospace and F1	2005	Nondisclosure agreements in place with potential customers	AIRBUS UNITED KINGDOM

[표 11] DINAMIT 프로그램 개발기술 및 내용 요약

3) ALCAS(Advanced Low Cost Aircraft Structures)

유럽에서 19개국 60기관이 참가한 ALCAS(Advanced Low Cost Aircraft Structures)는 2005년-2009년 5년간, 예산 116 Million Euro를 투자 하여 혁신적인 저가 항공기 구조물 개발을 추진했다.

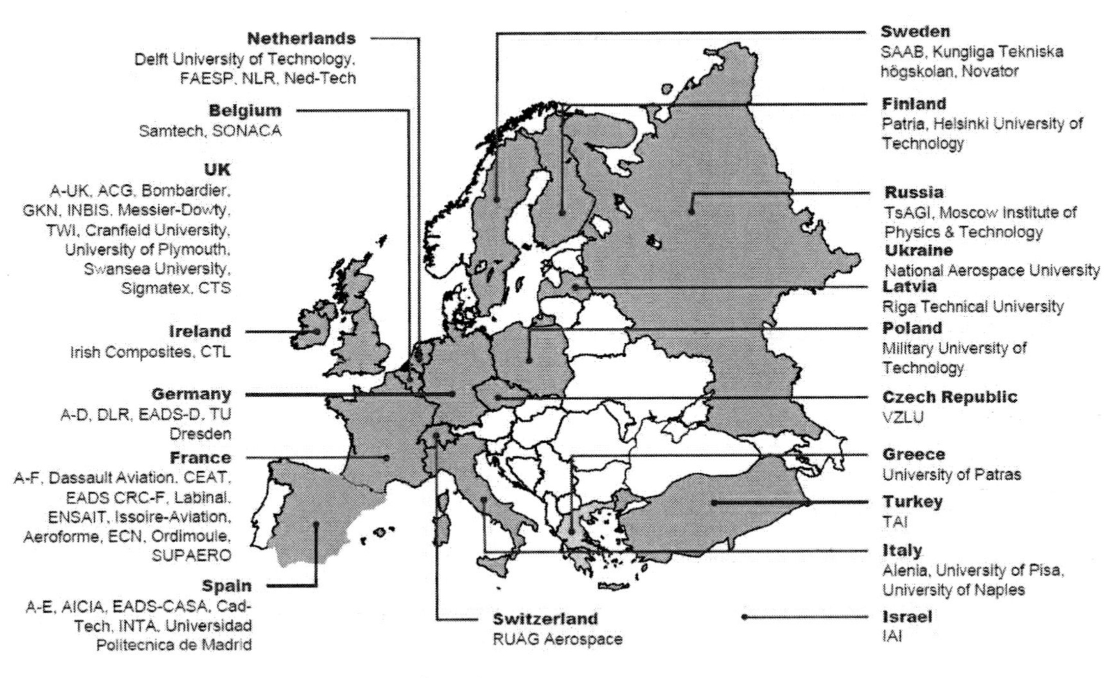

[그림 58] ALCAS Partnership

개발 프로그램을 살펴보면, 다음의 4가지 주제로 진행되었다.

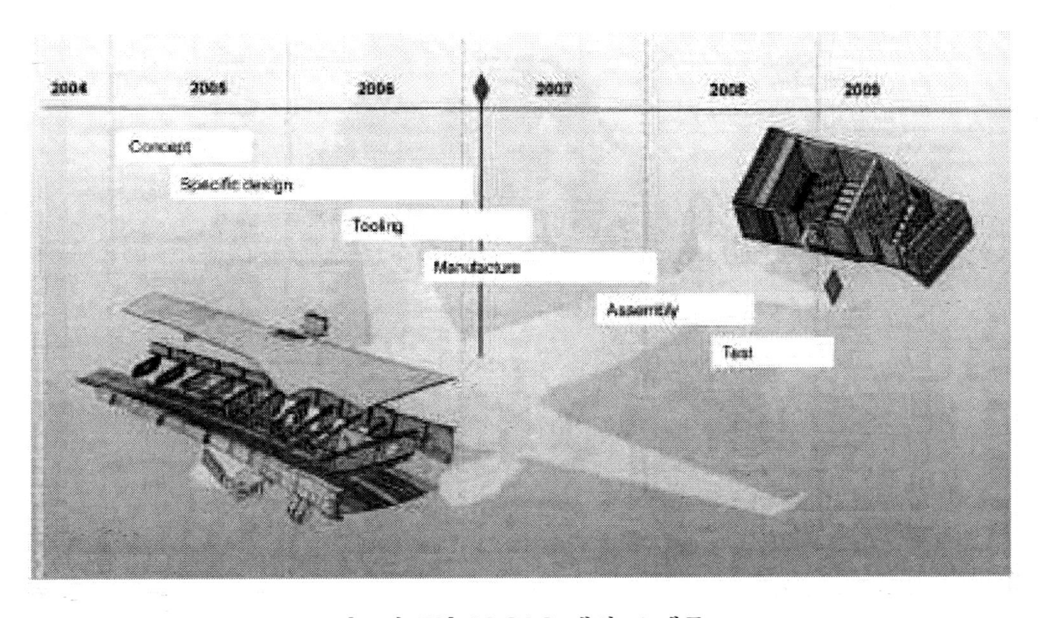

[그림 59] ALCAS 개발 스케줄

① 민항기 날개(Airliner-Composite Wing)

- 대상: Inner wing, center box with landing gear, pylon integration
- 목표: 경상적 비용(Recurring Cost)의 기존 최신 금속 wing에 대해 증가 없이 wing 구조의 20% 무게절감

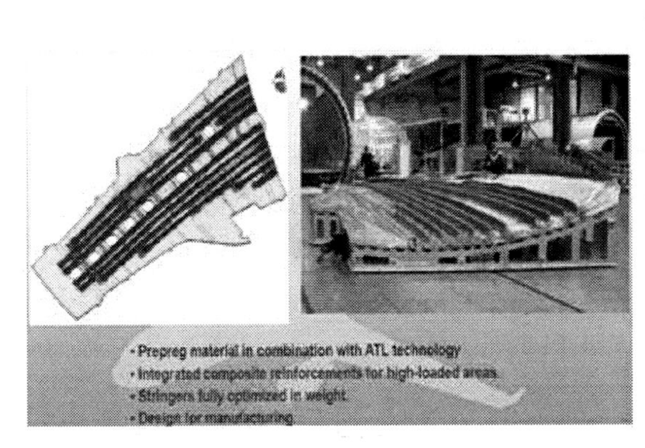

[그림 60] 제조설계 최상화 및 프리프레그 ATL(Automated Tape Laying)

[그림 61] Wing과 Center Box 최종 조립, 기계적 및 피로시험

② 민항기 동체(Airliner-Composite Fuselage)

• 대상: panel tests to address key fuselage challenges
• 목표: 경상적 비용(Recurring Cost)의 기존 최신 금속 동체에 대해 증가 없이 동체구조의 20% 무게절감

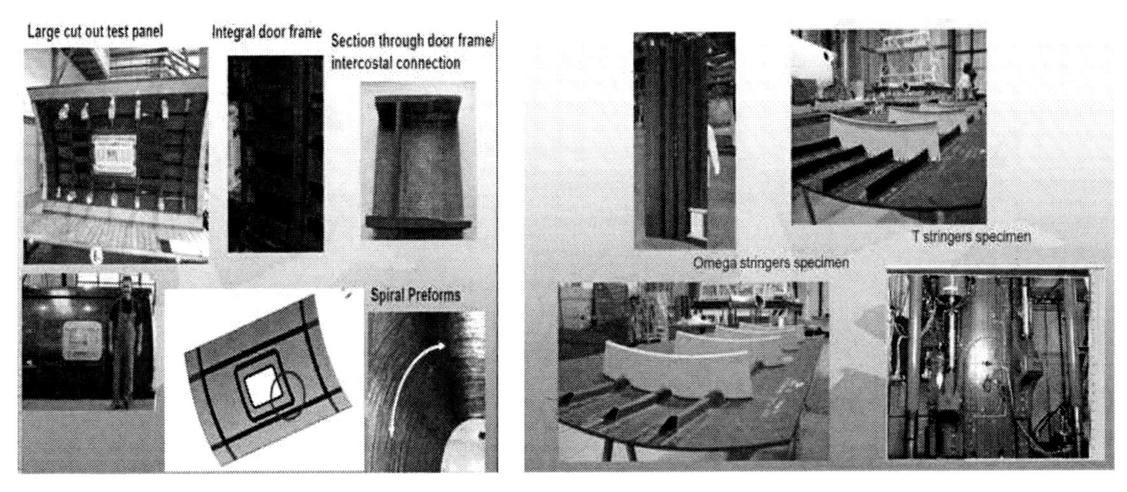

[그림 62] 동체결함 해결 panel 시험

③ 상업기 날개(Business Jet- Composite Wing)

• 대상: lower cost by combining parts into an integrated structure
• 목표: 전체 wing box구조의 경상적 비용(Recurring Cost) 20%절감 및 기존 최신 금속 wing 에 비해 10% 무게절감

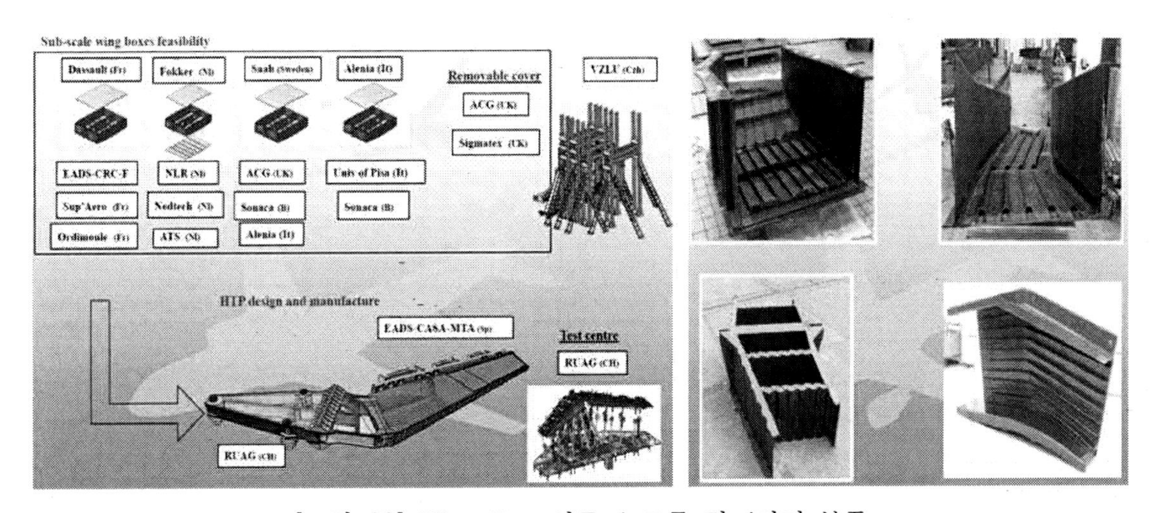

[그림 63] Wing Box 연구 4 그룹 및 4가지 부품

[그림 64] Wing Box 시험

④ 상업기 동체 (Business Jet - Composite Fuselage)

• 대상: rear fuselage with double shell concept, VTP(vertical tail plane)/HTP(horizontal tail plane), engine integration
• 목표: 기존 금속전체 동체의 경상적 비용(Recurring Cost) 30% 절감 및 기존 최신 금속 동체에 비해 10% 무게절감

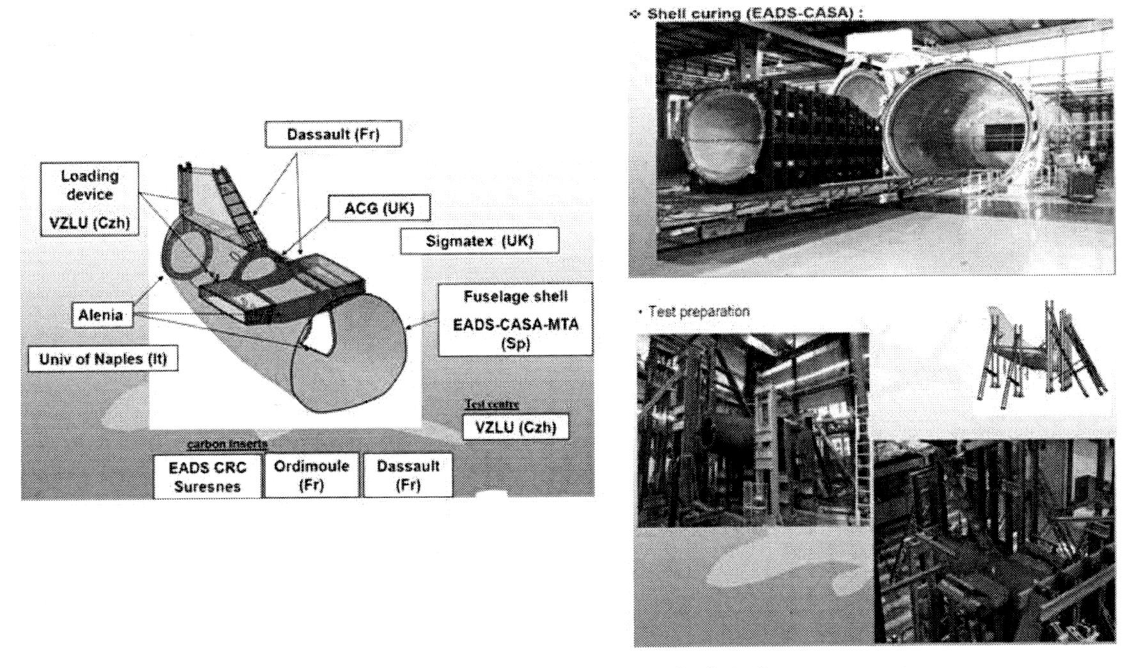

[그림 65] Double Shell 후방동체

4가지 주제의 개발 목표를 정리하면 민항기(Airliner)는 경상적 비용(Recurring Cost)을 상승시키지 않고 20%의 중량 경감을 달성하는 것을 목표로, 상업기(Business Jet)는 20-30%의 경상적 비용(Recurring Cost) 절감과 10%의 중량 경감을 목표로 하였다.

민항기 날개(Airliner Wing)는 Lateral Wing과 Center Box로 구성된다. 다음 그림에서 Lateral Wing의 구성을 나타내지만 외판과 스파(spar) 등의 부품은 열경화성 수지 복합 재료로 ATL(Automated Tape Layup), RTM(Resin Transfer Molding)등의 각종 성형 법으로 개발이 진행되었다.

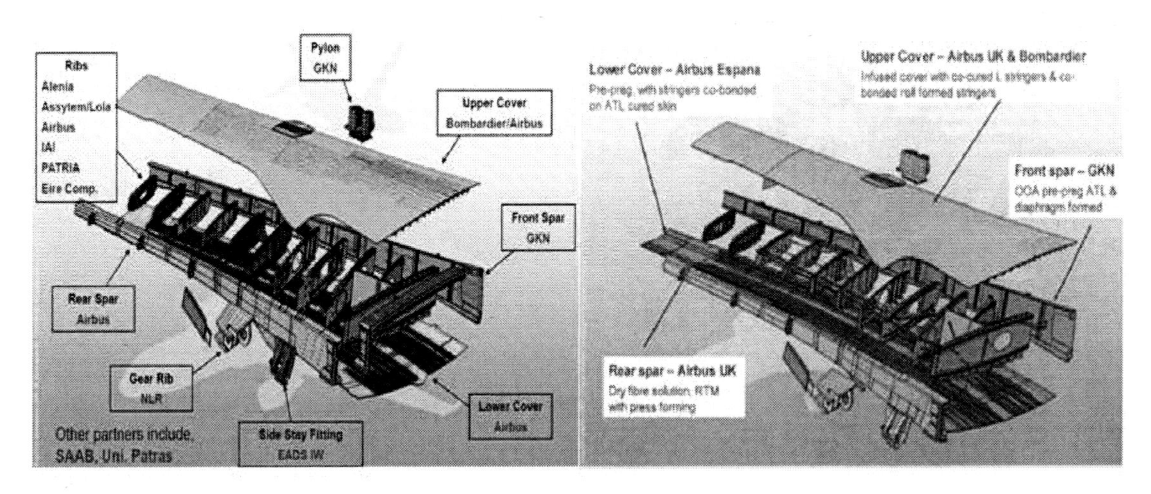

[그림 66] 민항기(Airliner Wing)구성 개발업체 및 부품과 성형 법

리브(rib) 구성과 각종 성형법으로는, 열가소성 수지 복합 재료는 날개 끝 측의 리브(rib)에서 평가되고 있다. 이 열 가소성 수지 복합 재료(PEEK/Carbon)의 Lateral Wing 리브(rib) 성형 개발은 Eire Composites회사(아일랜드)가 담당하고 실시하였다.

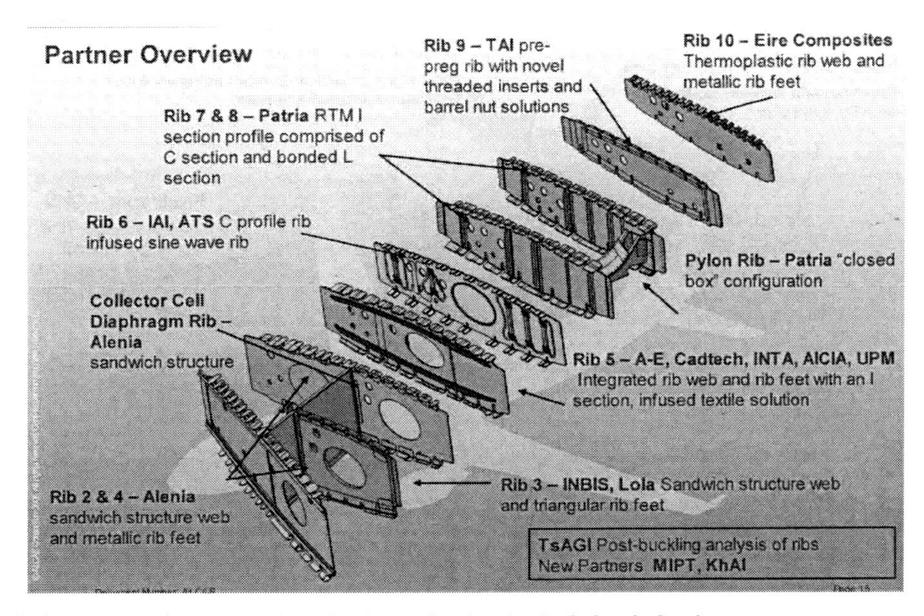

[그림 67] 각종 리브(rib) 부재와 성형 법

상용기(Business Jet) Wing은 다음과 같이 4개 팀으로 4종류의 컨셉으로 개발이 진행되었고, 그 중 1팀에서 상하면 외판 함께 열가소성 수지 복합 재료(하부 외판은 4팀 함께 열가소성 수지 복합 재료)에 의한 주익을 개발하였다. spar/rib는 RTM으로 상부 외판은 AFP(Automated Fiber Placement)성형 법으로 개발 제조 하였다.

- **Business Jet – Composite Wing**
  - Focus on development of inner wing
    - Wing box section 2.1 m length
    - True scale cross section
- **4 Teams – 4 wing box concepts**
- **Team 2:**
  - Stork Fokker AESP
  - ACG
  - Atkins-Nedtech
  - ATS Kleizen
  - NLR
- **Wing box concept team 2:**
  - one shot RTM substructure (spars/ribs, Stork FAESP)
  - Thermoplastic AFP upper cover (NLR)
  - Thermoset lower cover (ACG, similar for all 4 concepts)

[그림 68] Business Jet Composite Wing

Design and Build of PEEK/Carbon Lateral Wing Rib with Airbus UK

Manufacture of PEEK/Carbon Centre Wing Box Stiffeners with Airbus France

[그림 69] EU Framework 6 ALCAS Research Program(2005-2011)

재료는 PPS, PEKK는 DS등급과 FC등급 및 PEEK이다. 한 방향 PPS재료는 적정한 프로세스 윈도우가 넓어(성형온도 범위가 넓어) 생산성이 좋지만, 인성에 제한이 있어 마이크로 크래킹(micro cracking)에 민감하다는 평가가 이루어지고 있다.

- **Materials investigated:**
  - PPS
  - PEKK
    - DS grade
    - FC grade
  - PEEK
- **PPS UD-materials:**
  - Affordable
  - Large processing window
  - Limited toughness
  - PPS-UD too sensitive to micro-cracking

[그림 70] 각종 열 가소성 복합 재료의 성형성 평가

PEKK와 PEEK는 다소 비싸지만 뛰어난 인성과 역학적 특성을 가지고 있다. PEKK의 DS등급은 용융 온도가 낮기 때문에 폭넓은 프로세스 윈도우(성형온도 범위가 낮아)를 얻어 AFP성형에서 리스크를 경감시키지만 천천히 결정화되어 기계적 특성에 영향을 미친다. PEKK의 FC등급과 PEEK는 좁은 프로세스 윈도우(성형온도 범위가 높아)로 AFP성형에 리스크가 있다. 결정화는 빠르다고 평가가 이루어지고 있다.

- **PEKK and PEEK:**
  - Rather expensive
  - Good toughness
  - Good mechanical properties
- **PEKK DS' low melting point gives large process window**
  - Low risk for degradation in case of FP processing
  - Slow crystallisation behaviour influences mechanical properties
- **PEKK FC and PEEK have smaller process window**
  - Risk for degradation in case of FP processing
  - Fast crystallisation behaviour

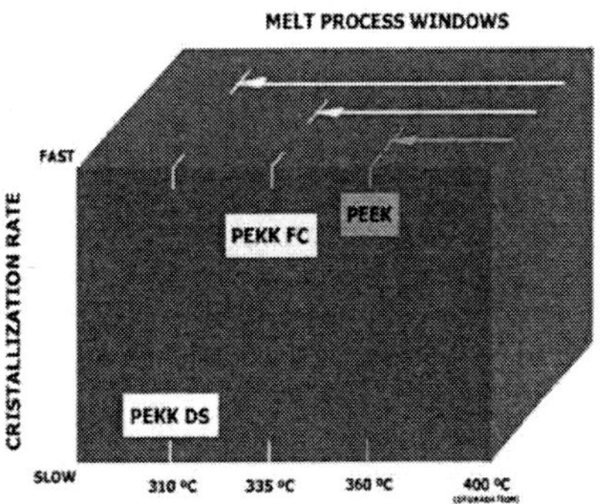

[그림 71] 각종 열 가소성 복합 재료의 성형성 평가

가) 성형 법의 연구

(1) AFP에서 성형 경화된 부품을 융착해서 일체형으로 성형하는 방법

AFP에서 성형 경화된 부품을 융착해서 일체 성형하는 방법으로 재료로는 PEKK의 FC등급 또는 PEEK를 사용하여 비용과 시간이 많이 걸리는 오토클레브를 제외한 OOA(out of autoclave) 개념으로 외판(skin)과 스트링거(stringer)어를 따로 성형제조하고 융착(welding)해서 일체화 하는 방법이다.

이 기술은 평판, 일정 판 두께의 단순형에서는 기술적으로 확립하고 있지만 곡면 부에서는 융착부의 품질에 의문이 있고, AFP에 의한 이중 곡면 부위에서의 적층 속도가 늦어지는 등의 과제가 있어 기술적으로 아직 성숙의 단계가 아니다. 그러므로 ALCAS프로그램에서는 채용하지 않았으나, 향후 유리전이온도(Tg)까지의 일정한 콘솔리데이션 가압(consolidation pressure) 제어와 재현성이 가능한 고밀도(compaction) 압착 성형을 통한 속도향상이 이루어지면 비용 및 생산효율 측면에서 가장 유력한 공정으로 채택될 것으로 예측된다.

- **Structural concepts and processes investigated:**
  - FP / In situ consolidation
  - FP / Autoclave co-consolidation
  - FP / Autoclave consolidation
- **FP / In situ consolidation**
  - PEKK FC or PEEK
  - Out of autoclave concept:
    - Skin and stringers manufactured separately
    - Skin/stringers assembly by welding
  - Technology not mature yet
    - Questionable laminate quality
    - Placement speed rather low in case of double curved areas with pad-ups
- **FP / In situ consolidation**
  - Technology mature for flat and cylindrical parts:
    - Proven systems for application of consolidation pressure during cool-down to Tg available
    - Suitable for manufacturing of flat, constant thickness tailored blanks for press-formed components

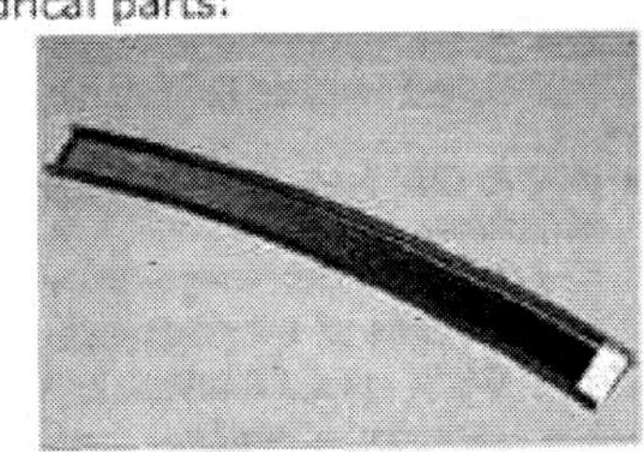

  - Technology not mature for curved areas yet
    - No proven conformable compaction system, therefore rather low placement speed
    - Questionable laminate quality

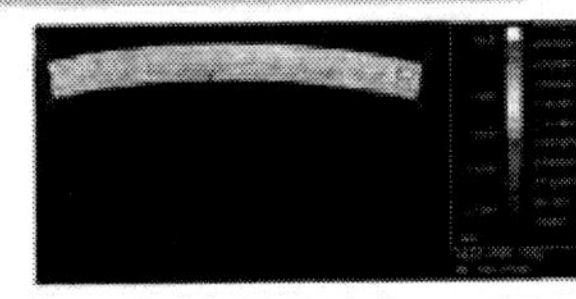

↳Not selected for ALCAS because low maturity level

그림 72 AFP에서 성형 경화된 부품을 융착해서 일체 성형하는 방법

(2) AFP에서 반 경화시킨 성형품을 오토 클레이브(autoclave)에서 일체형으로 성형하는 방법

AFP에서 반 경화시킨 성형품을 오토 클레이브에서 동시 성형하는 방법으로 재료로는 PEKK의 DS등급을 사용하여 외판과 스트링거를 AFP에서 따로 반 경화 상태로 성형하고 오토 클레이브에서 일체 성형 경화하는 방법이다.

이 성형 법은 번개제어(lightning protection) 시스템과 결합이 용이하고 큰 부재 적용과 타제품 제작에 적용 가능하며, AFP의 고속 적층이 가능하다 등이 장점으로 꼽히고 있지만, 기술적 리스크가 높고 성형 치구가 비싼 점이 상용화 기술로 불리한 점이다. ALCAS에서는 채용되지 않았다.

- FP / Autoclave co-consolidation
  - PEKK DS
  - Skin and stringers placed separately - not fully consolidated
  - Skin and stringers co-consolidated in one autoclave cycle
- Advantages of concept
  - Easy integration of lightning strike protection
  - High placement speed possible
  - Suitable for large structures
  - Feasibility of concept proven in other project
- Disadvantages of concept
  - Higher risk
  - High tooling costs

  ↳ Not selected for ALCAS because of tooling costs

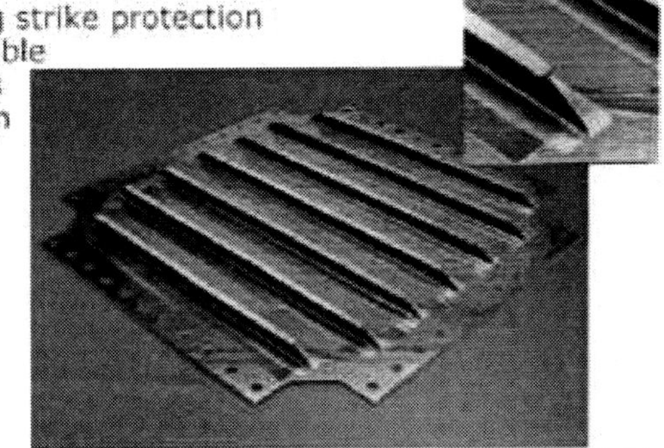

PEKK/AS4 panel (project funded by NIVR & Stork FAESP)

[그림 73] AFP에서 반 경화시킨 성형품을 오토 클레이브에서 일체 성형

(3) AFP에서 성형 경화된 부품을 오토 클레이브로 접착경화하는 일체 성형하는 방법

AFP에서 성형 경화된 부품을 오토 클레이브로 접착경화 하여 동시 성형하는 방법으로 재료로는 PEKK의 DS등급을 사용하여 외판과 스트링거를 AFP에서 따로 경화 상태로 성형하고 오토 클레이브로 접착제(FM300K/대체가능 TC 310, Epoxy film adhesive, Cytec사/Tencate사)을 적용하여 외판과 스트링거를 접착 경화하는 방법으로 용접(welding)으로 대체될 수 있다.

이 성형 법은 앞서 설명한 성협법과 마찬가지로 번개제어(lightning protection) 시스템과 결합하는 일체화가 용이하고 AFP의 고속적층이 가능하며, 기술적 리스크가 적은 등이 장점으로 꼽힌다. 앞선 성형방법에 비해 동시성형(일체형, co-consolidation) 여휴성이 낮아진다고 알려졌지만, ALCAS에서는 이 성형 방법이 선택되었다.

- **FP / Autoclave consolidation**
  - PEKK DS
  - Skin and stringers placed and consolidated separately
  - Skin and stringers bonded in secondary autoclave cycle
- **Advantages of concept**
  - Easy integration of lightning strike protection
  - Bonding can be replaced by welding
  - High placement speed possible
  - Suitable for large structures
  - Feasibility of concept proven
  - Low risk
- **Disadvantages of concept**
  - Less affordable than co-consolidation

↳Selected for ALCAS

[그림 74] AFP에서 성형 경화된 부품을 오토 클레이브로 접착 강세를 보이고 일체 성형하는 방법

나) 주익 외판의 설계와 시제제작

열가소성 주익외판(Thermoplastic stiffened wing skin)은 Stork Fokker AESP와 Atkins-Nedtech이 공동개발 하여, 소재는 PEKK/Carbon(AS4D), 내판의 두께는 6 mm(UD Fiber 두께 0.2~0.25 mm, 24~30 plies), 외판의 판두께는 7.5mm(30~38 plies)로, 스트링거 형과 플랜지 두께는 각각 8mm(32~40 plies)와 10mm(40~50 plies)로, 외판과 스트링거는 접착하고 리브(rib)는 볼트로 결합하는 방식이다.

[그림 75] Atkins-Nedtech의 주 날개 바깥의 설계

외판(outer skin)의 AFP성형은 100mm/s의 적층 속도로 최초 ㄴ형상(negative kink)에 적층 한다. 열응력이 발생하는 만큼 끝단을 걸쇠 클램프(clamp)를 하였다. 고온으로 가열 용융 시키면서 적층하기 때문에 끝단에서 외부로 잔류 응력이 생기고, 박리 또는 파이버(fiber)의 미끄럼이 발생하기 때문에 이를 줄이기 위한 층마다에 클램프로 고정한다.

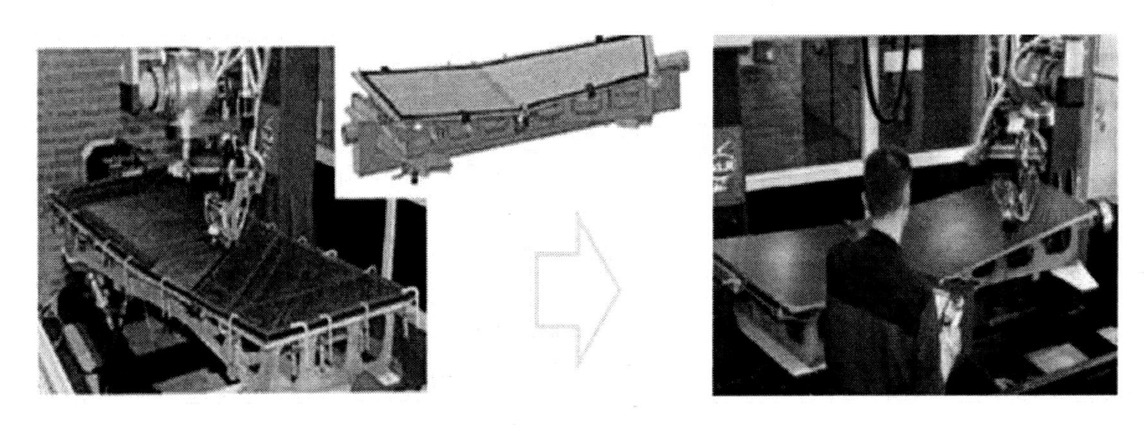

[그림 76] 외판의 AFP성형

스트링거(stringer)는 AFP에서 UD Tape(폭 12.7 mm)로 Tubular 몰드에서 튜브 모양으로 적층 성형한 뒤 L형태로 절단하여 , 끝에 작은 금속막이 있는 몰드에 filler와 베이스 플레트(plate)를 함께 놓고 caul plate(압력과 온도 균일 배분)를 올린 후 360℃에서 20분 오토클레브 일체형 성형 결합 융착한다.

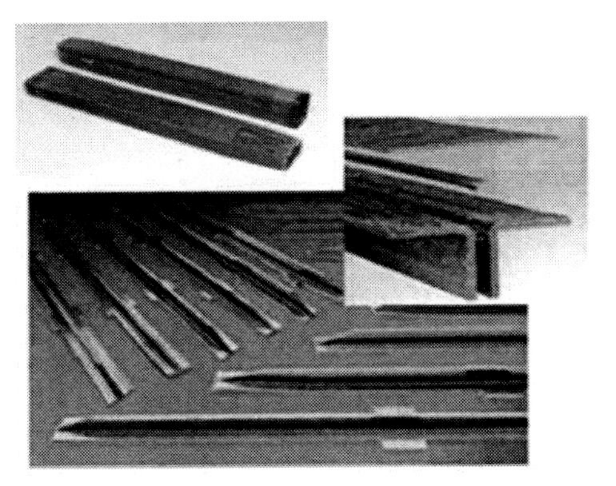

[그림 77] 스트링거 성형 방법

마지막으로 스트링거 접착은 FM300K (390 g/m2 접착 필림, /대체 가능 TC310, 에폭시계열 필름 접착제)로 외판과 스트링거를 오토 클레이브로 접착한다. 전단 강도는 30MPa 이상을 가지고 있다. 접착 면은 접착을 용이하게 하기 위해 sandpaper 또는 grit blasting 등으로 전 처리하였다.

[그림 78] 외판과 스티링거(stringer) 접착

이러한 설계의 결과 비파괴 검사 결과 (C-scan) 외판과 스트링거, 접착부의 품질이 양호하며, wing skin(날개외피)는 하판과 grid(thermoset wing box)로 결합되었다.

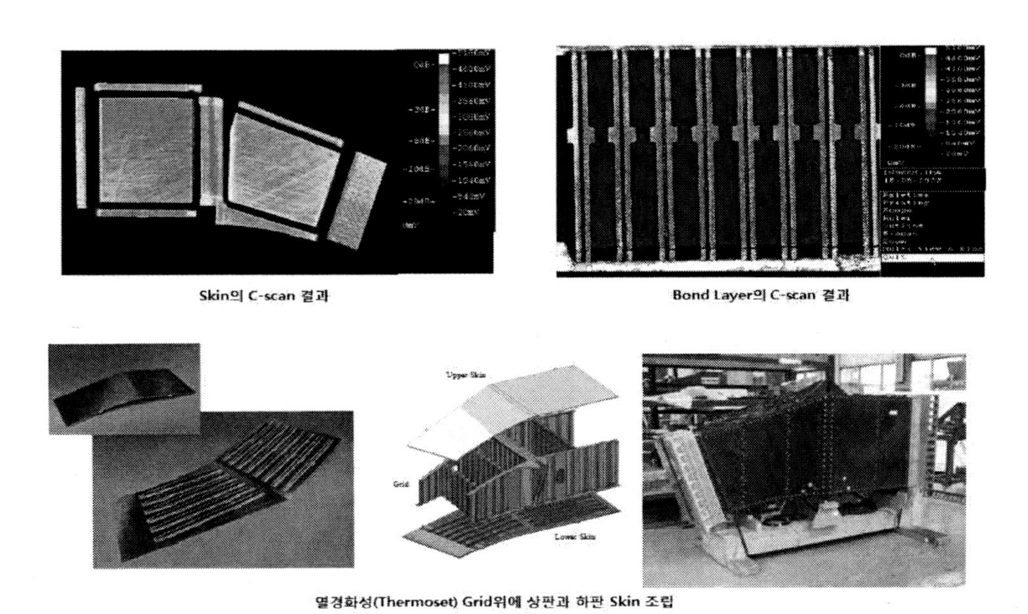

[그림 79] 성형된 외판/스트링거 구조

다음에 나타난 구조 시험을 실시하는 조건은 충격강도 35 J, 하중인자(load factor)는 1.2, 한계하중은 5가지 종류(most critical loads)와 연료탱크 압력내, 피로시험조건은 20,000회 비행을 고려하여 UL(Unlimited Load : 1.5 x Limited Load) 1.1 에서 파괴발생의 모든 역학적 특성 요구를 만족하는 것으로 확인되었다.

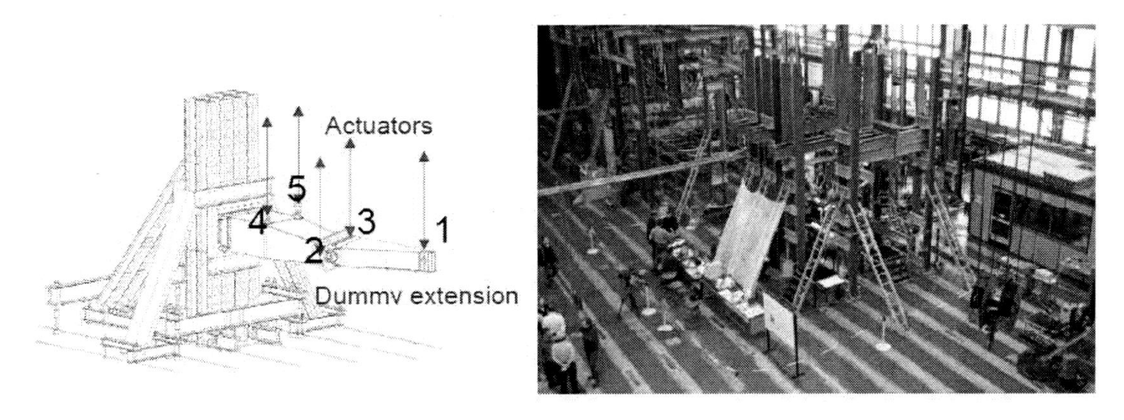

[그림 80] 주익 구조 시험

외판의 무게를 평가한 결과 시제품의 무게는 34.1kg로 계산 중량과 거의 동등한 결과를 얻었다. 또한 그림의 4팀의 중량은 사용된 탄소 섬유의 종류 차이(IM: Intermediate Modulus Fiber, HT: High Tensile Strength), 설계 등이 다르기 때문에 직접적으로 비교할 수 없었다.

- **Upper skin weight evaluation**
  - Current comparison on basis of theoretical weight
  - Weight savings through application of IM fibre instead of HT fibre ≈ 15%
  - Wing skins / wing boxes of Team 1, 3 and 4 not tested yet
- **Wing box weight evaluation more complicated due to different design concepts / design approaches**

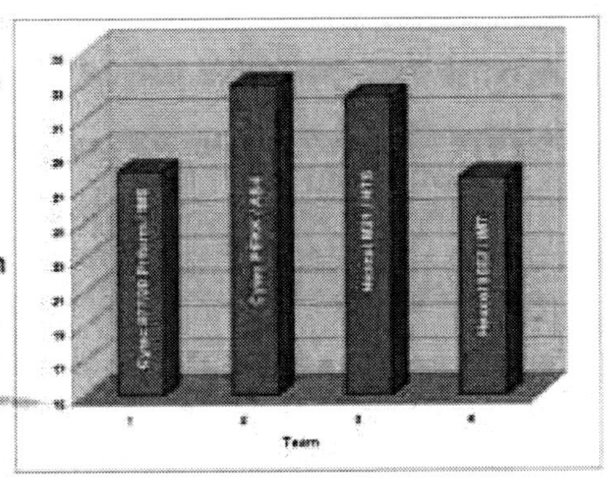

[그림 81] 4가지 접근법의 중량 평가

비용을 평가한 결과는 접착 전처리나 접착비용 증가요인인 고가 오토 클레이브 가동은 불필요하며, AFP에서 반 경화시킨 성형품을 오토 클레이브에서 일체 성형하는 방법이 원가의 개선에 유리하다는 결론을 지었다.

① 상판비용평가 (Upper skin cost evaluation)

· 열가소성 날개외판(Thermoplastic Wing Skin)
· 사용자동적층장치(AFP) : 4 tows, 폭 50 mm, 사용속도 100 mm/s, 300 생산기준

NRL upper skin cost breakdown (recurring costs)		
Activity	Man hours	Machine hours
AFP thermoplastic materials	20	20
Autoclave consolidation	12	6
Bonding pre-treatment	3	3
Autoclave curing adhesive	6	4
Trimming stringers and panel	22	22
NDI	6	16

[표 12] 비용평가

②스트링거와 외판의 일체성형(co-consolidation)에 의한 비용개선

· 접착준비(bonding preparation) 및 오토클레브 공장 불필요
· 장비시간(machine hours)의 절감
· 높은 경상적비용(non-recurring cost) 발생: 고가장비 및 tool 비용 발생

4) 기업의 열가소성 복합재 기술동향

지난 몇 년간 민간항공기에서 열가소성의 사용에서는 많은 변화가 일어나고 있다. 항공산업에서 열가소성 복합재는 더 이상 새로운 것이 아니다. TPC (Thermoplastic composites,열가소성 복합재) 는 대부분 클립, 브라켓, 혹은 항공인테리어의 소부품과 같은 작은 부품에 적용 되고 있지만, 향후 더 큰 대형 항공기 구조에 적용되며 미래 민간 항공기에 더 큰 역할을 할 것으로 기대된다.

가) Toray (도레이)

2018년 3월 세계최대 탄소섬유 생산기업인 일본의 도레이는 (Toray)는 텐카테 복합재(TenCate Advanced Composites)를 9억3000만 유로에 인수합병 하였다. 이후 기업명을 도레이 첨단 복합소재로 변경했다. 도레이사는 이러한 인수를 통해 열가소성 복합재에 대한 기술을 강화하여 민간항공기 개발에 적극적인 참여를 할 것으로 보인다.

나) Hexcel (헥셀)

미국의 헥셀(Hexcel)과 아케마(Arkema)는 헥셀의 탄소섬유 개발기술과 아케마의 PEKK(polyetherketoneketone) 수지 전문기술을 더하는 전략적 파트너쉽을 맺어 항공시장에 필요한 열가소성 복합재 솔루션을 개발하고 있다.

다) Airbus (에어버스)

2018년 4월에는 독일의 프리미엄 에어로테크(Premium Aerotec GmbH)는 열가소성 메트릭스로 제작한 탄소복합재 개발부품을 에어버스 A320 pressure bulkhead에 적용해 공개하였다. 공개된 개발부품은 총 8군데에 용접하였으며 대형 항공기 부품에 적용가능성을 보여준 열가소성의 용접성에 대해 설명하였다

라) Solvay (솔베이)

2018년 8월, 솔베이(Solvay), 프리미엄 에어로테크, 포레시아(Faurecia Clean Mobility)는 IRG CosiMo (Industry Research Group: Composites for Sustainable Mobility)를 콘소시엄을 결성했다. 이 콘소시엄은 항공과 자동차시장의 대량양산을 위한 소재와 성형기술 개발에 초점을 맞추고 있다. 이를 위해 열가소성 복합재 소재에서부터 기계, 그리고 적용까지 열가소성 복합재의 전체 프로세스 체인이 결합되었다.

솔베이(Solvay)는 TPC(열가소성 복합재)가 대형 항공기 구조에 적용될 수 있도록 네델란드의 GKN Fokker와 2017년 6월부터 파트너를 맺었습니다. 2017년 9월 솔베이는 PEKK 폴리머 생산을 시작하였으며 2018년에는 열가소성 UD tape의 생산량을 두 배로 늘렸다. 2019년 초 솔베이는 TPC 전문개발 연구소를 열어 차세대 소재 개발을 목표로 하고 있다.

마) Teijin (테진)

테진(Teijin)은 2019년 1월 TENAX 탄소섬유와 탄소섬유 열가소성 UD 프리프레그 테이프(TENAX TPUD)가 보잉에 항공기 1차 구조재 부품의 중간재 복합재로 인증되었다고 발표하였다.[32]

32) 열가소성 복합재 세계시장의 변화, ㈜일산카본, 2020.02.23

마. 제조 기술

1) 현재의 제조 기술

현재 항공기 구조 부재에 적용되고 있는 열경화성 수지 복합 재료의 제조 기술은 반 경화 상태의 수지를 강화 섬유에 함침시킨 재료 형태인 프리프레그를 성형 치구상에 적층하여, 가압 가열 장치로 가열 경화시키는 오토 클레이브(autoclave)방법이 널리 보급되어 적용되는 것이 일반적이다.

이에 대한 열가소성 수지 복합 재료는 상온에서는 재료 자체에 접착성(tack)이 없고, 가열에 따른 형상을 여러 번 반복적으로 성형할 수 있는 등, 열경화성 수지 복합 재료와는 다른 특성을 가지고 있으며 이 때문에 열경화성 수지 복합 재료에 적용하던 제조 방법과는 다른 제조 기술이 개발되어 적용되어 왔다. 현재도 유럽을 중심으로 다양한 재료 형태, 성형 방법이 연구되고 있다.

열가소성 플라스틱 복합 재료의 부재의 제작에 필요한 재료의 대표적인 형태는 다음과 같다.

① 적층판(RTL)

적층판 (RTL:Reinforced Thermoplastic Laminate)은 강화 섬유와 수지를 고온으로 프레스 콘솔리데이션(consolidation) 중첩하여 평판 모양으로 한 것이다. 현재 일정 두께 평판의 RTL 치수는 Tencate사의 3660mm x 1220mm의 사이즈가 있으며, 자동차 및 산업용에 사용되는 LANXESS(Bond Laminate GmbH)사의 TEPEX RTL(PA6, TPU, PPS, PC등)이 있다. 열간 프레스 성형시에 사용되지만, 복잡한 곡면 형상과 대형 부품의 성형에는 적당하지 않다. 성형시의 프레스 압력을 고려한 제작성 고려시 소형 부품의 성형에 적합하다.

② 프리프레그(prepreg)

일방향(UD) 테이프나 직물은 강화 섬유에 수지를 완전히 함침시킨 재료 형태이다. 일반적으로 laminating flm을 양면에 적층하는 방식과 thermoplastic laminating film 비용을 절감한 powder coating 방식으로 powder를 일반향 섬유나 패브릭에 고르게 분산시키고 가열된 롤러를 통과시킨 후 오븐에서 용융과 결정화를 통한 필요한 프리프레그나 세미프레그를 제조한다.

열경화성 수지 복합 재료가 재료로서 프리프레그 형태를 사용하는 것이 널리 보급되고 있지만, 열가소성 수지는 상온에서 경화되어 있기 때문에 접착성과 유연성이 없기 때문에 적층 시의 작업성이 나쁘다. 또한 작업성 개선을 위한 1층당 판 두께를 얇게 가공한 프리프레그 상품 개발 사례가 있다.

Dry tape의 DSC 분석 결정화 용융온도 결과

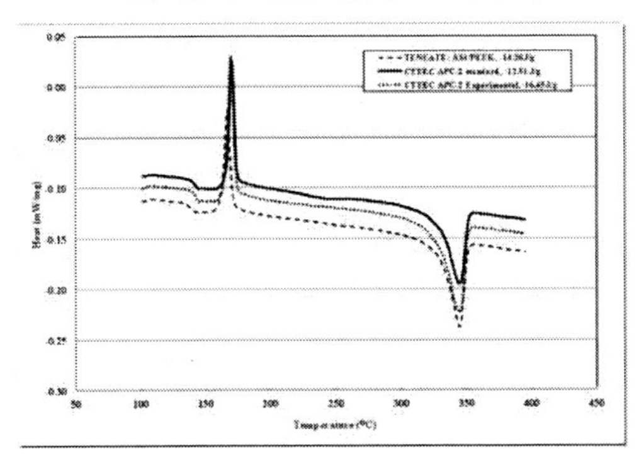

UD Tape에 적용되는 탄소섬유 Grade (Tencate사 적용기준)

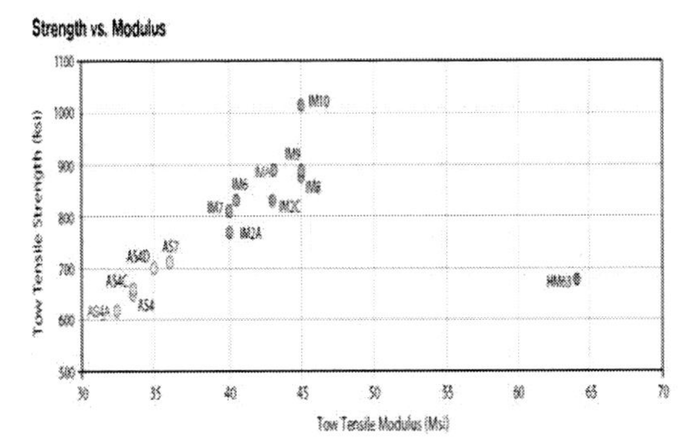

3-D surface profile of Tehncate AS4 & Cytec APC-2 tapes

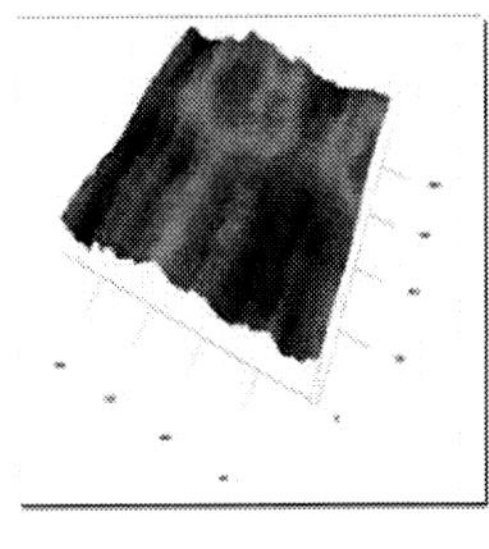

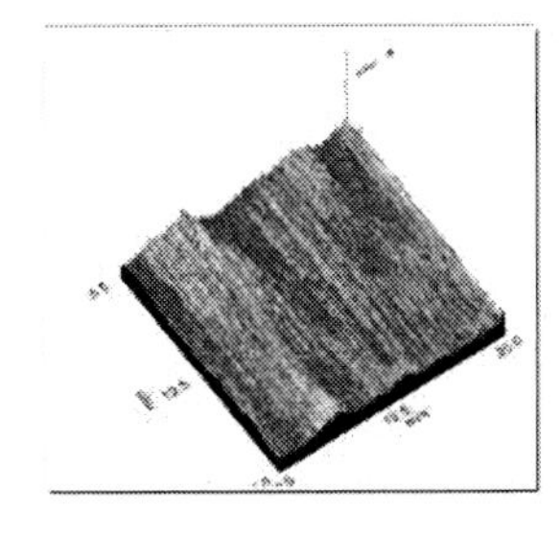

Void inspection of Tehncate AS4 & Cytec APC-2 tapes

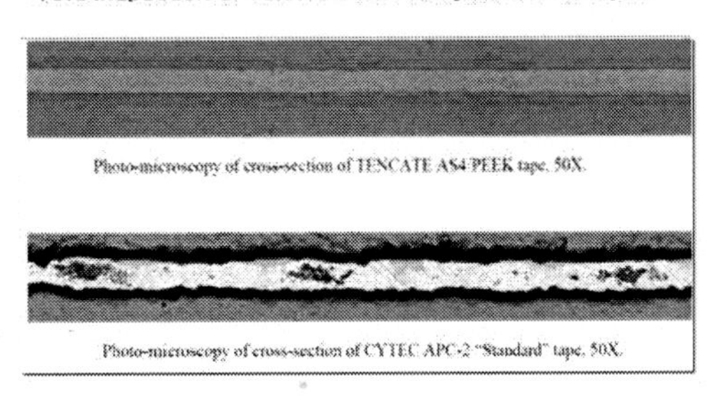

[그림 82] Tencate사와 Cytec사의 UD Tape의 용융온도, 탄소섬유 Grade 및 조도와 void 검사

그 예로 열가소성 UD Tape의 물성이 최종 제품의 물성에 영향을 주므로 UD Tape의 제조 시 적용 탄소섬유 Grade, 조도(적층 및 성형에 영향: laminate 품질결정)와 void (기계적 특성에 영향) 개선 및 용융온도에 의한 결정화를 고려한 연구가 필요하다. UD Tape 제조사의 Tape 별 조도와 void를 평가 자료는 그림 4.1-1 "Tencate사와 Cytec사의 UD Tape의 용융온도, 탄소섬유 Grade 및 조도와 void 검사"와 같다. Tencate사 제품이 Cytec사 제품보다 표면 조도가 부드럽게 균일하고, void가 없고 균일한 resin과 fiber 분산을 확인할 수 있다(검토된 제품에 국한된 결과로 제조사별 개선된 tape들에 대한 결과는 다를 수 있다).

③ 세미프레그(semipreg, semi-impregnated material)

RTL나 프리프레그에서는 대형 부품과 복잡한 형상에 대한 대응이 어렵기 때문에 그런 형상에 대응하기 위해서 고안된 것이 세미프레그(semipreg)이다. 세미프레그는 solvent coating process의 dip coating 방식으로 직물과 일 방향(UD)테이프에 열가소성 수지를 완전히 함침시키지 않고 취급하기 쉽게 한 것이다. 열경화성 프리프레그와 마찬가지로 적층하고 고온 고압 조건에서 성형된다.

[그림 83] RTL(왼쪽)과 프리프레그 (오른쪽)

[그림 84] 탄소 섬유 세미프레그

열가소성 수지 복합 재료에서 판재 모양의 RTL재료는 열간 프레스 성형(press-forming)이나 열간절곡(thermo-folding)프로세스에서 일정 형상으로 만든다. 또 프리프레그나 세미프레그는 열 경화성 수지 복합 재료와 마찬가지로 적층 경화(함침)에 의해 성형된다. 상기 외에도 또 열 가소성 수지의 특징을 활용하고 부품 간의 접촉 부분만 가열하고 접착하여 조립을 하는 융착(welding)기술도 적용되고 있다. 또 부재들을 고온에서 압착하는 동시성형 또는 일체성형(co-consolidation)기술 등도 연구되고 있다.

가) 열간 성형 기술

(1) 열간 프레스 성형(press-forming)

열간 프레스 성형 과정은 일정한 형상 판재 RTL을 적외선 히터에서 가열하여 수지의 점성(viscosity)을 성형에 적정할 때 까지 내린다. 수지가 연화되면 RTL를 가열된 금형위로 이동해 프레스에서 적정의 압력 및 시간을 두고 성형한다.

성형시에는 금형 내에서 주름이 발생하기 때문에 소재인 RTL의 끝단을 효과적으로 지지하는 방법(blank holder)이 부품 형상마다 연구, 개발되고 있다. 프레스 후에는 부품은 냉각된 수지가 다시 경화되어 성형 완료가 된다. 경화된 성형품을 금형에서 꺼내고, 필요 시 최종 형상으로 트리밍(trimming) 후처리하여 완성한다.

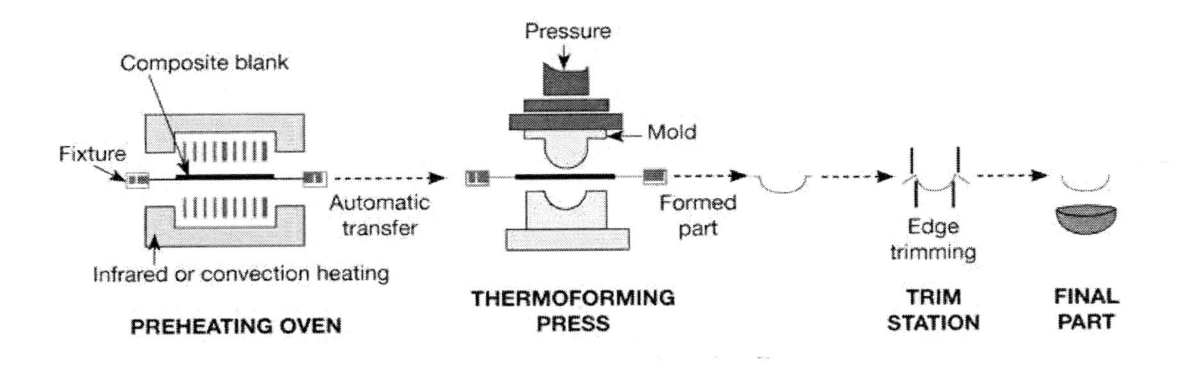

[그림 85] 고온 프레스 성형 공정

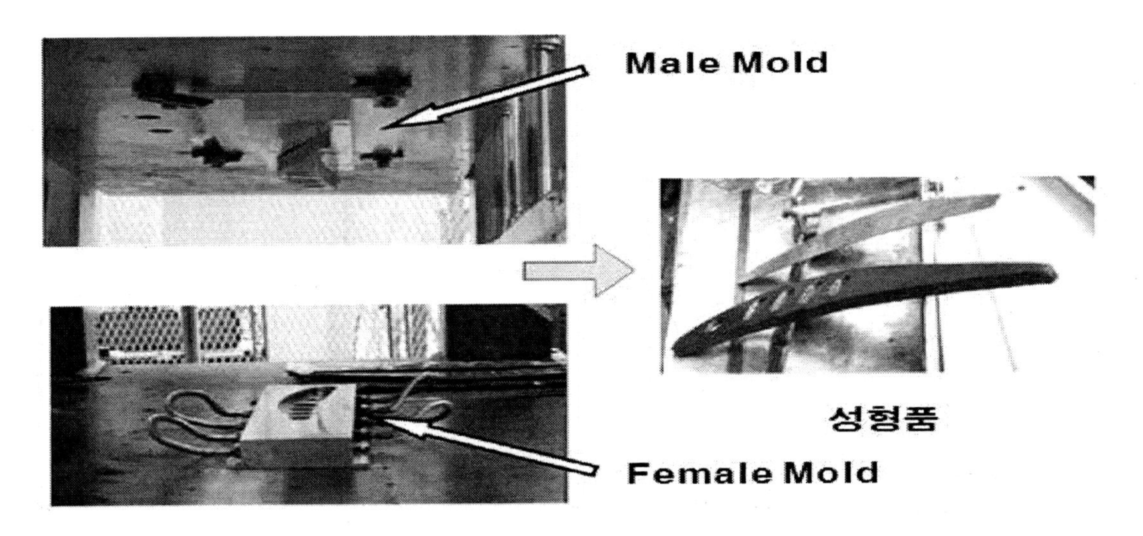

[그림 86] 열간 프레스 성형 금형 및 성형품의 일례

열간 고온 프레스 성형 장치는 재료 및 금형에 대한 가열 장치와 프레스 장치의 부분으로 대별된다. 재료 및 금형 가열에는 적외선 히터(infrared heater)가 이용되는 경우가 많다. 히터에는 재료 전체에 300℃에서 400℃까지 균등하게 가열 가능한 능력이 요구된다.

프레스 장치에서는 성형 시에 재료 전체를 금형에 강한 압력(20기압 이상: 2 MPa)으로 프레스 할 필요가 있으므로 성형하는 부품에 맞추어 20기압 이상(2 MPa)의 압력이 가할 수 있는 장치가 요구된다.

다음은 네덜란드의 Tencate사가 제시한 프레스기로 압력과 성형할 수 있는 최대 치수의 관계를 나타낸다.

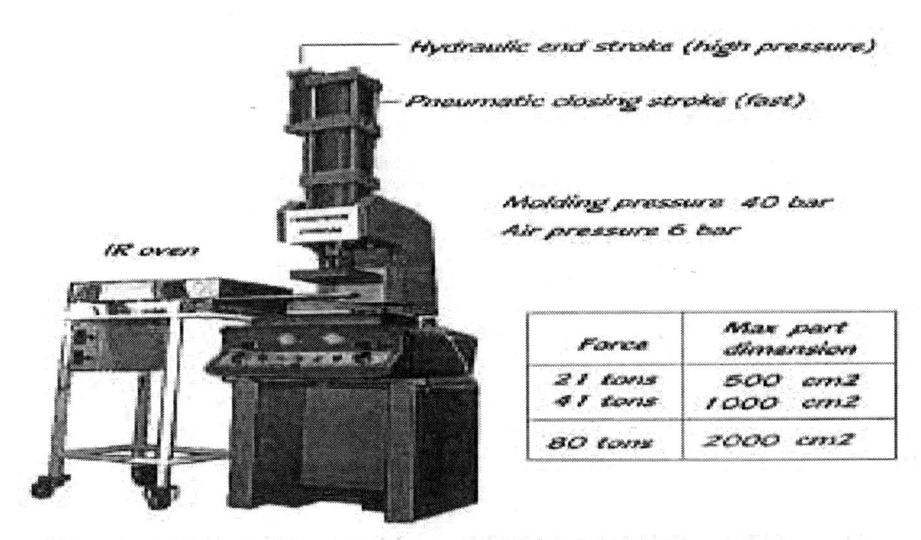

Force	Max part dimension
21 tons 41 tons	500 cm2 1000 cm2
80 tons	2000 cm2

[그림 87] 열간 프레스 성형용 프레스기

프레스 성형 기술은 IVW와 델프트 대학(TU Delft)이 오랜 기간 연구해온 기술이며, 1980년대에 열가소성 수지 복합 재료의 시트가 적용할 수 있게 된 때부터 열간 프레스 성형 및 고온 절곡 성형에 의한 부품 개발이 시작됐다. 현재는 섬유 배향과 프레스 가공 방법에 의한 성형성을 실험이나 적층판의 층 차이까지 고려한 시뮬레이션으로 검증 연구를 진행하고 있다.

열간 프레스 성형 기술은 간단한 설비에 의한 열가소성 수지 복합 재료의 성형이 가능하기 때문에 소규모 기업에서도 채용할 수 있는 이점이 있다.

프랑스의 RocTool사에서는 고주파 전자기 유도 방식으로 금형을 가열하는 Induction Heating 열간 성형 장비와 기술을 개발하였다. 이는 코일 모양의 공간 내부에 프레스 성형용 금형을 배치하고 전자 유도에 의한 와전류(eddy current)를 유도 금형의 성형 면을 고속으로 가열하는 방식이다.

일본에서도 500mm x 500mm 크기 금형의 표면이 약 70초에 실온에서 250℃까지 가열시키는 방식을 도시샤 대학(Doshisha Univ. 同志社大学)이 연구하였다. 냉각은 금형 내부로 연결된 냉각수로 이루어지는데, 이 급속 가열·냉각 시스템은 열가소성 수지 복합 재료의 특성을 고려한 대량 생산에 유효하다.

[그림 88] 연구개발용 고온 LAB 프레스기/ 대형 프레스기

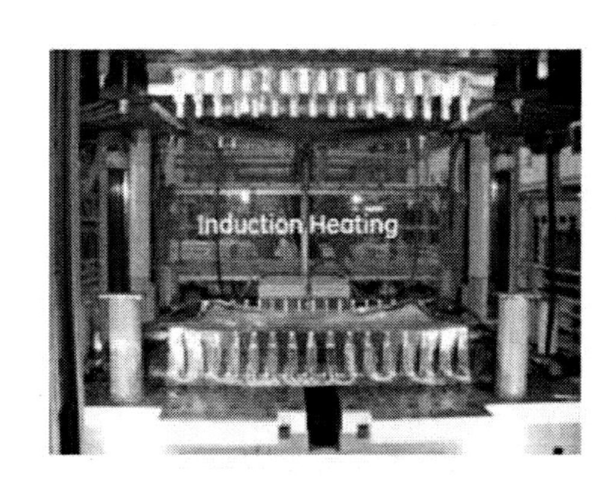

RocTool社

Electromagnetic Induction Heating

Due to the skin effects, only the surface of the mould is heated by high frequency current.

Induction Heating System

Moulded part

Examples of CFRP products

Temperature (℃)

Time (s)

Doshisha Univ.

[그림 89] RocTool사 및 도시샤 대학의 고주파 유도 가열 설비 및 연구 사례

(2) 열간 굴곡성형(thermo-folding)

열간 굴곡성형은 RTL을 직선으로 굴곡 성형하는 방법이다. 기본적인 성형 방법은 열간 프레스 성형과 동일하다. Gulfstream 450/550 항공기의 방향타(rudder)의 외판의 굴곡성형 등에 채용되고 있다.

다음은 굴곡성형 전의 부품과 굴곡 후 외판 부품과 샌드위치 패널(panel)끝단의 스킨을 글곡하는 예를 보여준다.

[그림 90] 열간 굴곡성형 전 외판(사진 왼쪽)과 굴곡후 외판(오른쪽)

[그림 91] 샌드위치 패널 끝단의 굴곡성형

열간 굴곡성형 장치는 재료 및 금형에 대한 가열 장치와 프레스 장치의 부분으로 대별된다. 히터는 열간 프레스 성형과 마찬가지로 부재의 중간을 구부리고 굴곡하는 부분을 300℃에서 400℃까지 가열 가능한 능력이 요구된다. Gulfstream 450/550 항공기의 방향타(rudder) 부품의 뒷부분처럼, 부재를 작은 반경으로 구부리는 경우에는 가열된 피아노 선을 사용하는 것도 있다.

성형 시에 재료를 굽힐 수 있는 부분은 히터의 열 때문에 연화되기 때문에 구부리기 위한 압력에는 고온 프레스 성형 같은 큰 압력은 불필요하다.

(3) 융착(welding)

융착은 열가소성 수지 부품 간의 접촉 부분을 가열함으로써 수지를 용융시키고 부품들을 접착하는 기술이다. 열경화성 수지 복합 재료 부품을 접착 결합시키는 경우 접착 면의 표면 처리나 필름 접착제가 필요하지만, 열가소성 수지의 융착에서는 그것을 생략할 수 있다. 또 통상 사용된 필름 접착제의 경화 시간은 규정된 속도로 가열, 고온에서 온도 유지, 냉각으로 몇 시간 걸리지만, 열가소성 수지에서는 접촉 면의 가열, 가압, 냉각의 시간만 으로 단시간에 작업이 완료되는 장점이 있다.

또 융착은 볼트와 리벳을 사용한 기계적인 결합 방법과 비교하여 접착부가 면 접촉으로 전단 하중의 전달에 유리하고, 드릴링에 의한 구멍(hole) 가공 시 강화 섬유의 손상이나 구멍의 주위에 대한 응력 집중이 없다는 점과 티타늄과 스테인레스계의 볼트와 리벳 등의 사용이 없어서 중량이 경감되는 등의 장점이 있다.

현재 개발되고 있는 열가소성 수지 복합 재료의 부품 융착 기술에는 접착 면의 가열 방법으로 다음과 같이 분류되고 있다.

Welding of TPCs

Main features:

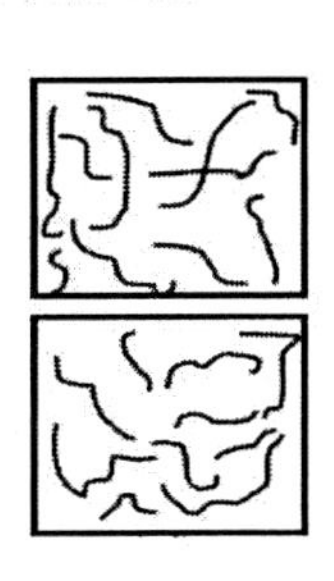
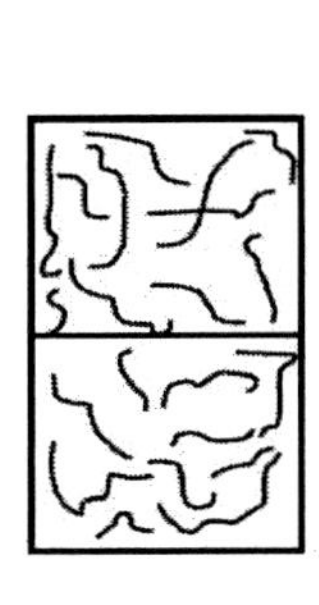
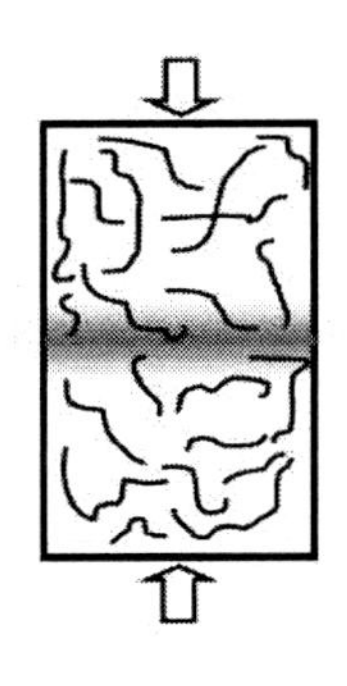
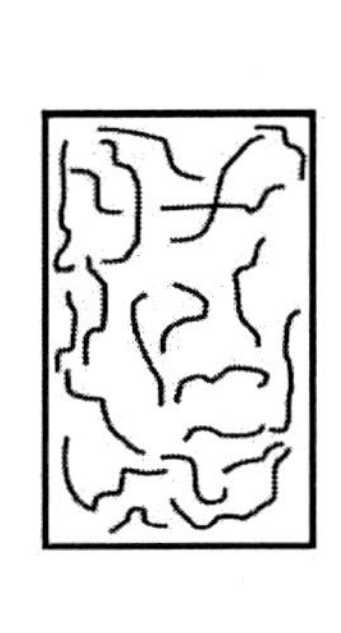

✓**Local** heating
✓Very short processing **times**
✓Low **stress** concentrations
✓Relative non-sensitiveness to **surface** preparation

[그림 92] 열가소성 복합재의 융착원리

(가) 저항 융착(Resistance Welding)

저항 융착은 열가소성 수지 복합 재료의 부품 간의 연속 융착에 가장 많이 사용되고 있는 기술이다. 1990년대 초보다 Stork Fokker사에서 연구가 시작되었으며 1990년대 후반에는 저항 융착을 이용한 부품이 항공기 부품으로서 인정되게 되었다.

저항 융착은 부품 사이에 가열체(heating element)을 설치하여 통전 가열한다. 통전가열의 열로 가열체에 접촉하고 있는 수지가 녹고 가열 중의 가압에 의한 융착이 이루어진다. 또한 가열체는 그대로 부재 간에 잔류한다.

용융은 가열체가 접촉한 부분에 한정되어 있으므로, 그 이외의 주변 부분의 강도 저하 리스크가 적다. 또 접착하는 부품 간에 가열체를 배치함으로써 외부의 접착 부분 접근성이 뛰어나기 때문에 가압을 용이하게 할 수 있는 장점이 있다.

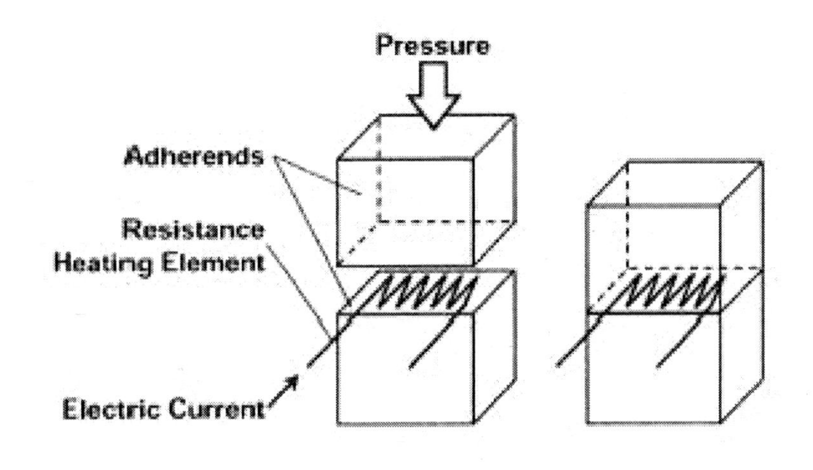

[그림 93] 저항 융착의 원리

저항 융착 장치 중에서 중요한 것은 가열체에 전류를 흘려 통전하는 트랜스미터(Transmitter)와 가열시에 부품들을 압착하기 위한 가압 장치 및 가열체이다. 트랜스는 가열체를 통해서 재료가 접합 가능한 온도(300℃~400℃)로 가열할 수 있는 양의 전류를 공급할 수 있어야 한다.

가압 장치는 평면상의 부품의 경우는 통상의 프레스 장치를 사용하는 경우가 있다. 또 입체 형상의 부품 접합에는 접합하는 부품들을 고정하는 전용의 치구를 제작하고, 내열 튜브 등의 공기압으로 접착 면만 부분적으로 가압할 수 있는 것이 있다.

가열체는 온도 분포의 균질성, 유연성, 최대한 판 두께가 얇고, 수지와 접착성, 내 환경성이 요구된다. 재료로는 선, 그물(mesh), Expand metal foil등의 금속, 탄소섬유(carbon fiber), 탄소로 코팅된 유리섬유(glass fiber)등의 비금속 도전체가 사용된다. 또한 가열체에는 전기적 절연과 내열성이 필요하다. 예를 들면 PTFE(Polytetrafluoroethylene)등의 테프론 코팅이 사용된다.

Welding of thin-skinned multirib design
automatic resistance welding

[그림 94] 저항 융착 사례

(나) 유도 융착(Induction Welding)

유도 코일로 발생한 전자기장의 주변에 있는 탄소 섬유 자체가 발열하여 수지를 용융한다. 자성체 입자를 포함한 수지도 그 전자기장에서 발열한다. 저항 융착보다 작은 전류로 접합이 가능하다. 가열에 따른 용융된 수지를 가압하고 접착하는 것은 저항 융착과 같다. 유도 코일은 구리(Cu) 튜브가 이용되며, 융착부위를 자계(접착 부분) 코일 아래에 위치시킨다. 가열은 코일 부근에서 만 행해지므로 코일을 구조체(접착 부위)에 따라서 움직일 필요가 있다. 그래서 부재 간의 가압에는 정밀한 공정 노력이 필요하다.

유도 융착 장치는 유도 발생기, 유도 코일, 코일 냉각 장치, 가압 장치로 구성된다. 유도 발생 장치는 재료의 자성, 도전성의 고주파 전류를 발생할 수 있어야 한다. 강자성체에서는 10MHz정도의 전류가 필요하지만, 도전성이 좋은 재료가 50~1000KHz 정도가 좋은 것으로 알려져 있다. 유도 코일은 구리관을 사용한다.

가압 장치에는 접착하 는 부분에 튜브를 배치하여 공기압에 의한 가압을 한다. 또한 유도코일장착 로봇을 이용한 다접촉면을 융착하는 자동화 기술이 연구를 바탕으로 현재 산업현장에 열가소성수지 복합재의 유도 융착(induction welding)에 적용되고 있다.

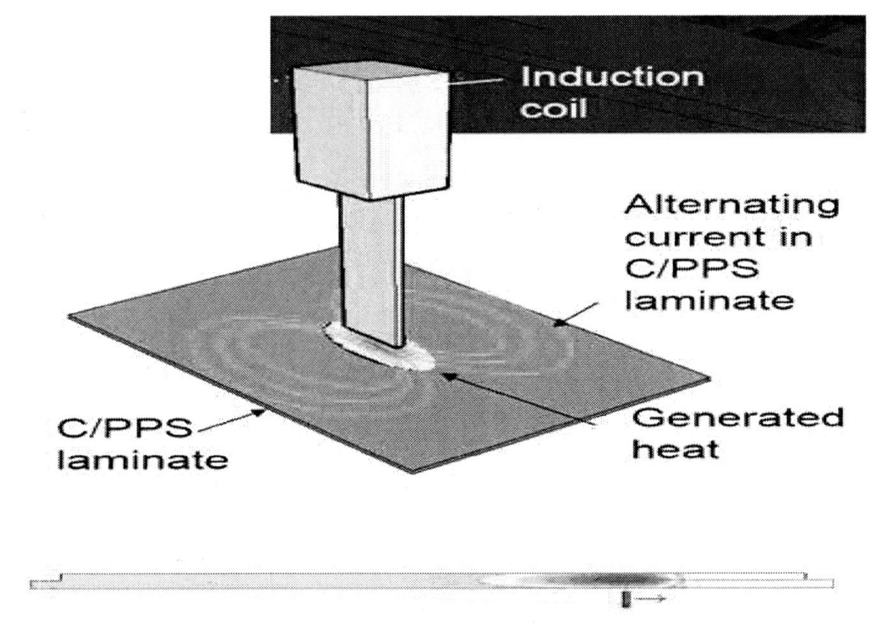

[그림 95] 유도 융착 설비의 개요

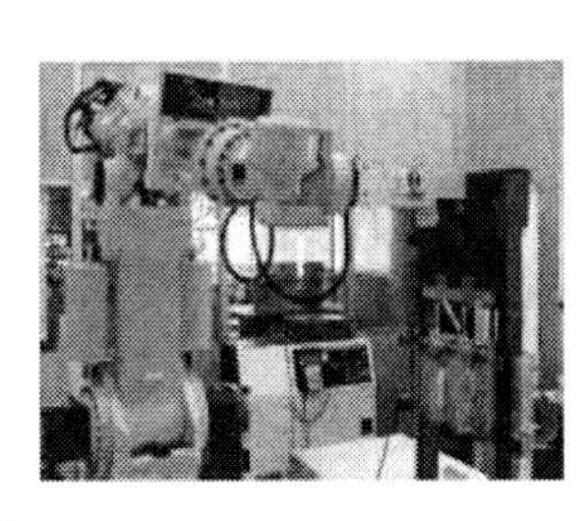

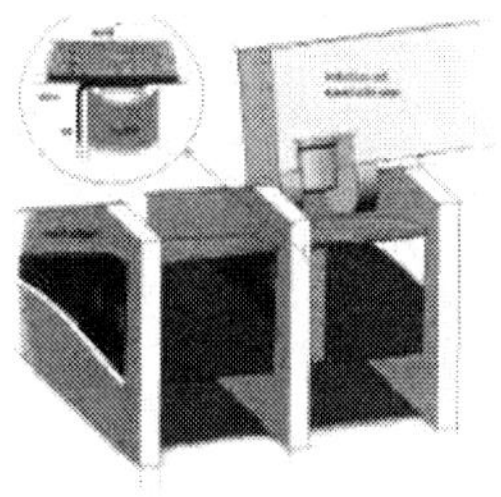

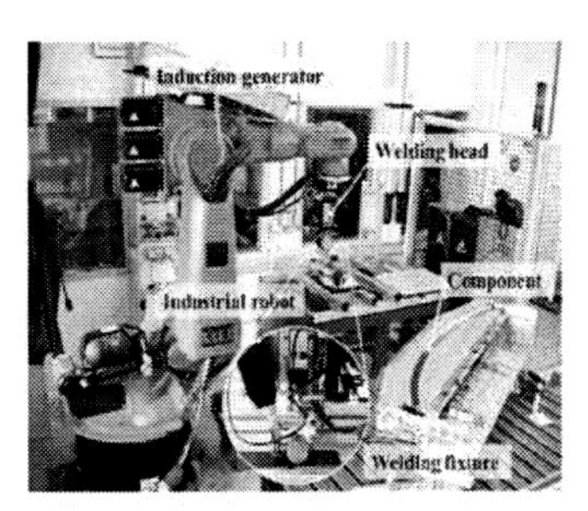

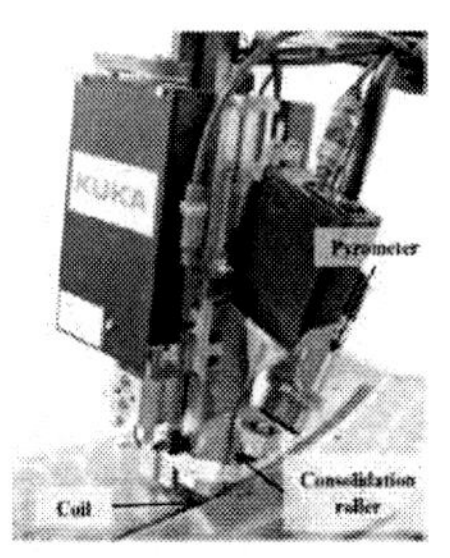

유도융착 자동화 로봇 연구개념　　　　**산업용 Induction welding 자동화**

[그림 96] Rib외판의 유도 융착 로봇에 의한 결합 개념 및 산업화 실용화[2014]

(다) 초음파 융착(Ultrasonic Welding)

초음파 융착은 초음파 진동을 열 가소성 수지 복합 재료 부품에 발생시켜 부품계면에서 열이 발생하여 수지를 용해한다. 그 때에 압력을 가하여 부품끼리 접착을 한다. 저항 융착처럼 접착 부분에 가열체 같은 이물질 없이 높은 융착 강도를 얻을 수 있다. 초음파 진동을 발생시키는 부분의 사이즈에 제한이 있어, 현재는 작은 사이즈의 스팟 융착(spot welding)으로 한정 적용되고 있다.

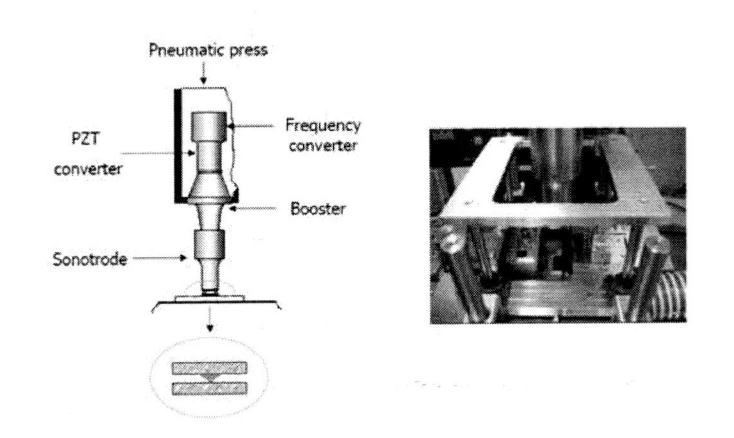

[그림 97] 초음파 융착 산업화 실용화

(4) 기타 기술

(가) 동시 콘솔리데이션(co-consolidation)

동시 콘솔리데이션(co-consolidation)은 열 가소성 수지 복합 재료 부품들을 고온에서 압착하여 성형품을 제작하는 기술이다. 프리프레그나 세미프레그의 적층판에 대해서, 오토 클레이브(autoclave)에서 콘솔리데이션(consolidation)시 다른 부품을 동시에 접착하여 일체성형품으로 제작할 수 있다.

다음은 동시 콘솔리데이션 기술에 의한 외판과 ㅁ형 단면의 Stiffener를 일체형으로 성형한 예이다.

[그림 98] A340-500/600 Access 패널과 ㅁ형 단면의 Stiffener 결합 사례

(나) 인발 성형(Pultrusion)

인발 성형(Pultrusion)법은 강화 섬유에 수지를 함침한 후 인발하면서 가열 금형을 통해서 성형, 경화되는 연쇄적인 성형품을 제작하는 방법이다. 긴 균일 단면 부재 또는 느슨한 곡률을 가진 부재의 성형에 적합하며, 대량 생산이 용이하다. 재료는 분말 수지 또는 액체 수지를 혼합한 섬유, 혹은 프리프레그가 이용된다.

독일의 Faser Institute Bremen사에서는 플트루전 장치를 이용하여 곡률 4m의 인발형 재료 및 파이프를 제작하는 연구를 수행하여 상용화 하고 있다.

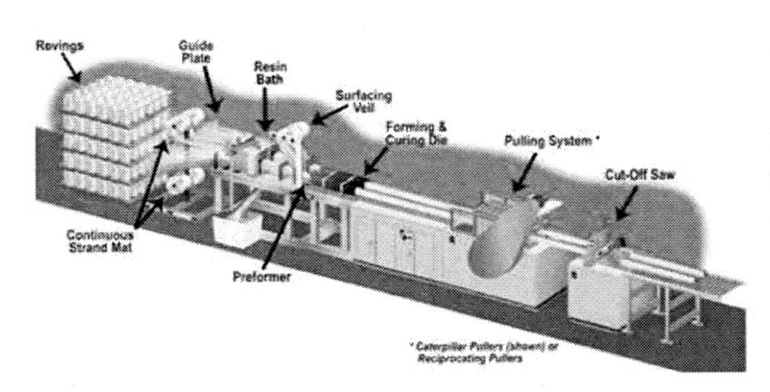

[그림 99] 플트루전 장치 개요

[그림 100] 플트루전 성형 시제품

(5) 제품화 기술

(가) 기계 가공 기술

열가소성 수지 복합 재료 부품도 다른 재료의 부품과 마찬가지로 조립 작업에서 볼트와 리벳 결합되어 기체 구조 부재로 사용된다. 열간 성형 후의 트림(trim) 가공이나 조립을 위한 홀(hole)을 가공하고, 가공은 열경화성 수지 복합 재료와 마찬가지로 드릴 가공(drill), 라우터 가공(router), 워터 제트(water jet) 등이 적용된다.

다만 홀(hole)가공이나 절삭 가공 시 공구.재료 간의 마찰열이 발생하여 열가소성 수지를 연화, 용융할 수 있기 때문에 발열을 억제하는 가공 방법과 냉각 방법의 연구가 요구된다. 홀(hole)가공에서는 드릴의 재질, 회전수를 열경화성 수지 복합 재료의 경우와 다르게 하여 발열을 억제할 필요가 있다.

(나) 품질 보증 기술

열가소성 수지 복합 재료 부품에 요구되는 품질은 열경화성 수지 복합 재료와 마찬가지로 대표적인 품질결함으로 섬유와 수지의 함침불량, 섬유 방향의 불균일, 주름 등의 외부 결함 및 적층 판의 void , 접착 불량, 층간 박리, 이물질 혼입 등이 있다.

이들 품질 결함 검사 방법에 대해서는 열경화성 수지 복합 재료를 사용한 부품의 제작을 통해 충분히 실적이 있다. 검사는 우선 육안검사에서 외관상의 결함 검사가 실시된다. 일반적으로 초음파 탐상 검사로 대표되는 비파괴 검사를 실시하고 내부 결함 검출을 한다. 열가소성 수지 복합 재료 부품의 경우 열간 프레스 성형 시에는 코너(corner)부 수지 함침 상황 확인과 프레스 가압 시에 발생하는 섬유 방향의 불균일에 주의해야 한다. 또 융착 작업에서는 균일한 접착 상황의 확인이 중요하다.

또 기존 열경화성 수지 복합 재료 제품의 품질은 재료인 프리프레그 구입 시 수입 시험을 실시하고, 부품 제작 단계에서는 공정 관리 시험을 실시함으로써 보증을 한다. 열가소성 수지 복합 재료는 재료 형태와 제작 공정이 열경화성 수지 복합 재료와 다르기 때문에 열가소성 수지 복합 재료 특유의 공정 보증 방법이 필요하다.

2) 미래의 제조 방법

열가소성 수지 복합 재료가 향후 항공기 구조 부재에 적용되기 위해서는 품질, 비용에서 기존의 열경화성 수지 복합 재료보다 뛰어난 것이어야 한다. 제조 기술의 관점에서 말하면 품질을 안정시키기 위한 자동화 기술 개발이 과제이며, 저 비용화를 위한 고 생산효율이 대응 과제이다.

가) 자동 적층 기술

성형 작업의 자동화는 안정된 성형품의 품질 확보, 인위적 실수의 방지 또 재료 사용량의 적정 관리가 가능하다. 복합 재료 부품의 자동화 성형 기술로는, 필라멘트(filament) 또는 테이프(tape) 와인딩(winding), 자동 테이프 적층(ATL: Automated Tape Laying) 및 자동 파이버 적층(AFP: Automated Fiber Placement)가 꼽힌다.

이들 기술의 기본적인 부분은 열 경화성 수지 복합 재료의 성형 기술로서 오랫동안 연구되어 온 것과 동일하다. 네덜란드의 Airborne Composites사의 테이프 와인딩 장치는 탄소 섬유의 일방향에 PPS수지나 PEEK수지를 함침한 UD프리프레그를 사용하였다.

열 가소성 수지 복합 재료 특유의 기술로는 직접 콘솔리데이션(direct consolidation)로 불리는 자동 적층 중에 가열, 가압함으로써 프리프레그를 접합하는 기술이 있다. 직접 콘솔리데이션(direct consolidation) 적용함으로써 오토 클레이브(autoclave) 작업이 생략 되어 더욱 제조 사이클을 단축할 수 있다.

자동적층장치의 핵심 기술은 해석강도를 고려한 섬유배열각도연구(0°, 45°, 90°, 135°등), 테이프간의 Slip 제어, Gap 및 Overlap 제어, Thermal Stress에 의한 Lay-up Delamination 제어. 적층 충돌예측 기술 및 적층롤러 제어(Force, Velocity, Temperature, cooling), 열원(Laser) 출력제어 (온도고려),일체형 Co-layup 및 Co-consolidation 공정기술이며, 실제 사용되는 UD Tape 및 Fiber의 물성(void, roughness, 유전율 등)이 최종제품에 성능을 좌우하므로 소재선정이 중요하다.

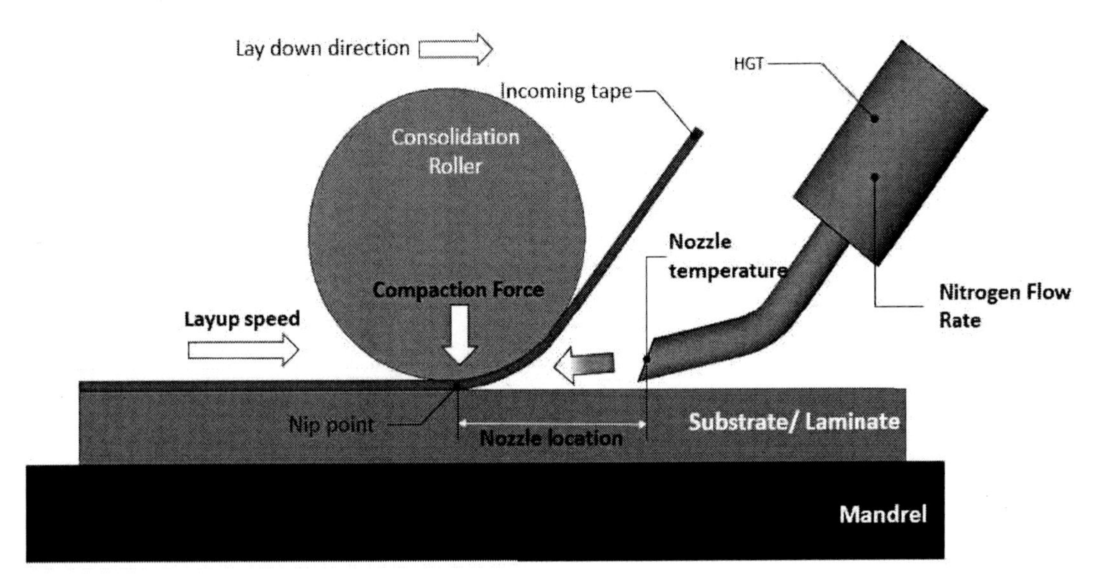

[그림 101] 자동적층장치의 공정제어원리

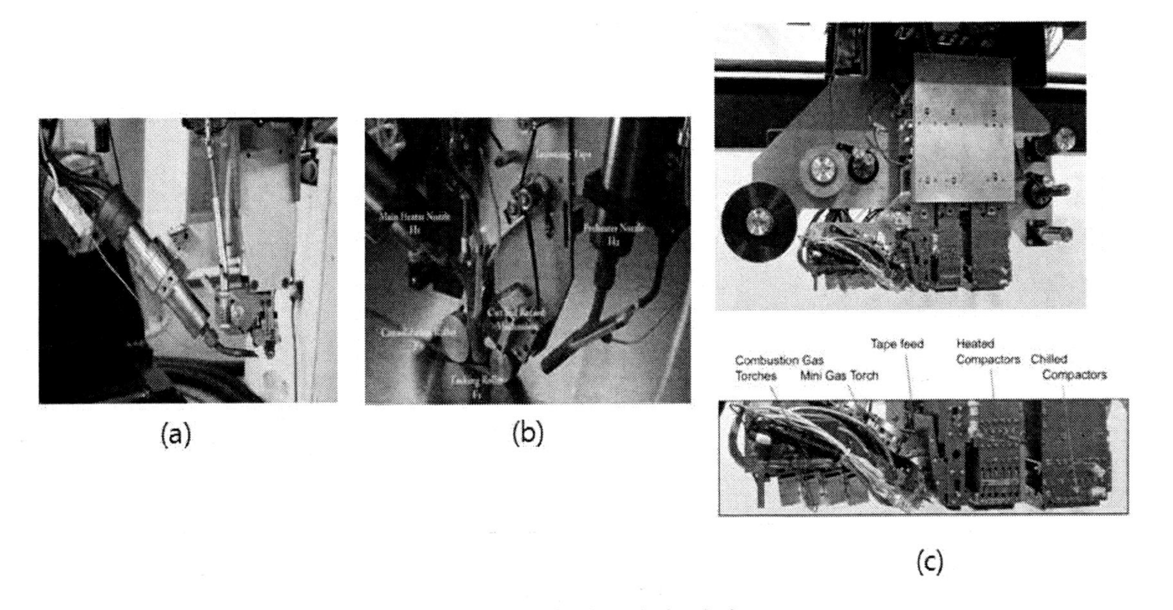

[그림 102] 적층장치 방식

위 그림의 적층장치 방식에 대한 설명은 다음과 같다.

ⓐ Hot Gas Torch, Roller 자동적층장치 방식

초기 모델로 가열과 가압이 동시이 이루어진다. post-consolidation이 oven 및 autoclave 에서 이루어져야한다.

ⓑ Preheater, Tack Roller, Hot Gas Torch, post-consolidation roller 자동적층방식

preheater로 테이프를 가열해 점도를 증가시키고 Tack Roller로 1차 가압 후 Hot Gas Torch로 용융 후 Post-consolidation Roller로 성형결합이 이루어진다.

ⓒ **In-situ AFP 자동적층장치**

Polymer 면을 융착하는 방식으로 3 단계를 거쳐 융착 성형된다. 1단계는 그림과 같이 장치의 열과 압력을 가해 직접 접촉하는 intimate contact, 2 단계로 thermal vibration과 entangle을 통해 molecular diffusion(repration, autohesion)으로 폴리머 chain들이 확산, 3단계는 consolidation으로 결합 zone이 압력 하에 냉각되면서 열가소성 용융에 의한 결합이 이루어진다.

나) 자동 제조 기술

열가소성 수지 복합 재료 부품의 성형부터 검사까지 공정 전체를 자동화하는 연구가 이루어지고 있다. 여기서는 제조 공정을 재료의 공급, 가열설비 내에서 재료 가열, 프레스 성형, 탈형 및 마무리 가공, 비파괴 검사 5개로 분리 라인업 하고 있다. 자동화 설비의 구상은 그림 4.2-4와 같다. 그동안의 열경화성 수지 복합 재료의 제조에서는 특히 냉동고, 클린 룸(clean room)이 설비상의 핵심으로 설비에 맞춘 라인을 구축할 필요가 있었지만, 열가소성 수지 복합 재료에서는 재료 관리상의 요구가 엄격하지 않기 때문에 한정된 공간 내에서의 제조가 가능하다.

[그림 103] 테이프 와인딩 장치의 적용 사례

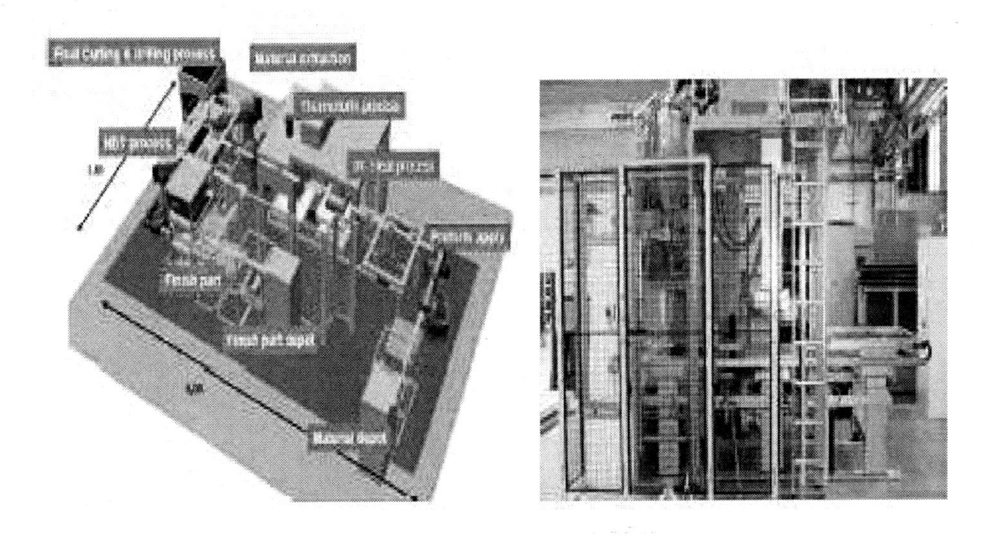

[그림 104] 성형부터 검사까지 자동화 설비의 구상도

5. 결론

현재 섬유시장에서 탄소섬유가 차지하는 비중은 유리섬유에 비해 현저히 낮다. 하지만 탄소섬유는 '미래 산업의 쌀'이라는 표현을 사용할 정도로 없어서는 안될 물질로 평가받고 있다.

대표적인 예로 한국의 정부는 19년 1월 수소경제 활성화 로드맵을 발표했는데, 탄소섬유는 수소경제 시대의 핵심 소재가 될 것으로 전망되고 있다. 가벼우면서도 일반 공기보다 수백 배의 고압에 견뎌야 하는 수소연료탱크 핵심 소재로 탄소섬유가 알맞기 때문이다.

추가로 세계 각국이 친환경 사업으로 자동차 경량화 등의 정책을 시행하는 데 있어서 탄소섬유는 빠질 수 없는 주제이다. 이 외에도 건축자재 및 레저소재로의 활용 등 활용범위 역시 커지고 있어 미래가 더욱 기대된다.

2021년 국내 탄소섬유 시장은 글로벌 시장의 약 9.7% 규모에 불과하지만, 수소경제 등에 힘입어 향후 5년간 17%에 달하는 높은 성장률을 기록할 것으로 예상된다.[33)]

탄소섬유는 '더 가볍고 더 강한'이라는 현재의 니즈를 충족시키는 미래의 소재이다. 앞으로 국가적 차원의 지원에 힘입어 더 큰 세상으로 나아가게 될 것이다.[34)]

---

33) KEIT, 탄소섬유 소재산업 및 기술개발 동향, 이성호 외, 2020.08
34) [효성적 일상] 탄소섬유(Carbon Fiber)는 어떻게 '미래산업의 쌀'이 되었나, 2019.09.06

6. 참고문헌

[1] 탄소연속섬유 복합체 제조기술, 한국과학기술정보연구원, 2011
[2] 탄소섬유 제조방법 및 응용분야, 서민강 등, 고분자과 학과 기술, 2010
[3] 초고온 탄소복합재료, KISTI, 2009
[4] 탄소섬유 복합소재 시장 동향, 연구성과실용화진흥원, 2016.01

초판 1쇄 인쇄 2018년 9월 11일
초판 1쇄 발행 2018년 9월 21일
개정판 발행 2021년 1월 25일
개정2판 발행 2022년 11월 21일

편저 ㈜비피기술거래
펴낸곳 비티타임즈
발행자번호 959406
주소 전북 전주시 서신동 780-2 3층
대표전화 063 277 3557
팩스 063 277 3558
이메일 bpj3558@naver.com
ISBN 979-11-6345-393-2 (93550)

이 도서의 국립중앙도서관 출판예정도서목록(CIP)은 서지정보유통지원시스템 홈페이지 (http://seoji.nl.go.kr)와 국가자료공동목록시스템 (http://www.nl.go.kr/kolisnet)에서 이용하실 수 있습니다.